Digital technology
and dynamics of
international politics

デジタルテクノロジーと国際政治の力学

塩野誠
MAKOTO SHIONO
経営共創基盤
(IGPI)共同経営者・
マネージングディレクター

NEWS PICKS
PUBLISHING

Digital technology
and dynamics of
international politics

デジタルテクノロジーと国際政治の力学

塩野誠
MAKOTO SHIONO
経営共創基盤
(IGPI)共同経営者・
マネージングディレクター

NEWS PICKS
PUBLISHING

あなたは自分が法の上にいると信じているのでは

米国下院金融サービス委員会公聴会にて、マキシン・ウォーターズ委員長がフェイスブックのマーク・ザッカーバーグCEOに対して

はじめに　覇権としてのデジタルテクノロジー

「ゲームをしませんか？」[1]とジョシュアは言った。

今から30年以上前、冷戦時代の１９８３年に公開された映画「ウォー・ゲーム」[2]はハッカーの高校生が誤って北アメリカ航空宇宙防衛司令部（ＮＯＲＡＤ）のＡＩ（人工知能）であるジョシュアに接続し、核戦争シミュレーションゲームを始めてしまうという内容であった。このゲームではプレイヤーが米国かソビエト連邦を選ぶことができ、主人公の高校生はソ連を選び米国ラスベガスに攻撃を開始する。当時は二大大国の米国とソ連が互いを脅威とみなしていた頃だった。米ソ冷戦時代の空気が漂う作品だった。

１９８９年11月にベルリンの壁が崩れ、米ソの冷戦は終わりを告げた。ソ連は崩壊し、大国だった頃の記憶を残しながら形を変えてロシアとなった。唯一の超大国となった米国が国際秩序を主導した時代もあったが、近年では自国第一主義と保護主義化により国際社会のリーダーの地位からの後退が見られる。一方で中国は経済力とテクノロジーを武器に台頭し、米中関係は「新冷戦」とも呼ばれることもある。２０２０年代は多極化した世界として語られている。

1—元の台詞は（Joshua）“Shall we play a game?”

2—「ウォー・ゲーム（WarGames）」はネットワークへの侵入やAIの暴走など、後世のテクノロジーを扱う作品に大きな影響を与えることになった。冒頭の台詞「ゲームをしませんか？」はその後、様々な場面で引用された映画の中の一節である。翌年の１９８４年はアップルがマッキントッシュを世に出した年でもあり、リドリー・スコット監督製作のマッキントッシュのテレビCM「１９８４」が放映されている。２０２０年８月、オンラインゲーム「フォートナイト」を運営するエピック・ゲームズがアップルに訴訟を起こすと同時に「１９８４」を皮肉ったパロディ動画をゲーム空間で配信した

「ウォー・ゲーム」で暴走するＡＩが描かれてから30年の時が経った。国際情勢は大きく変わり、デジタルテクノロジーが人々の生活を大きく変えた。今ではインターネットやスマートフォンの無かった時代を想像することは難しいだろう。あなたがデジタルプラットフォーマーであるＧＡＦＡ（Ｇｏｏｇｌｅ、Ａｐｐｌｅ、Ｆａｃｅｂｏｏｋ、Ａｍａｚｏｎ）に関わらずに一日を過ごすことはもうできないかもしれない。「ウォー・ゲーム」ではサイバー空間に接続し、現実世界の命運を握る高校生が空想として描かれたが、すでに人はサイバー空間と実世界に同時にいるのだ。[3]

インターネットの発展と共に急成長したオンラインサービス企業は個人の行動をデータとして蓄積し、収益を最大化するためにデータを解析し、個人の行動予測や行動変容を行っている。巨大デジタルプラットフォーマーは数十億人単位のユーザを持ち、ユーザのＩＤや決済情報を管理し、ユーザの購買履歴、閲覧履歴、位置情報といったデータを蓄積している。私たちは検索をするたびに、検索エンジンに自分の興味・関心についての情報を無償で提供しており、それがひたすら蓄積されているのだ。デジタルテクノロジーによって、民間企業であるデジタルプラットフォーマーが国民の行動や関心をリアルタイムで把握することが可能となった世界に私たちは生きている。

3―ローレンス・レッシグ、山形浩生訳『CODE VERSION 2.0』翔泳社、2007年、p416.

人間のコミュニケーション様式や認識に影響を与える。デジタルテクノロジーは文字、音声、映像といった形で人と人のコミュニケーションに介在し、ＡＩが、学習・認識・予測というプロセスを経て、人間の思考やコミュニケーションを代替することさえある。それらは、ときに政治、経済、社会、安全保障に多面的な影響を及ぼすパワーになり得る。

デジタルテクノロジーを介して企業（プラットフォーマー）も国家も常時、あなたにアクセスしようとする。新型コロナウイルスの感染を避けるためには、あなたがどこにいるか、誰に会ったか、プラットフォーマーや政府に教えるべきだろうか。あなたは誰と会ったときに自分の体温や脈拍が上下するかを政府や企業に教えたいだろうか。テクノロジーの前に個人も岐路に立たされている。

デジタルテクノロジーが各国で政治、経済、社会、安全保障に影響を与えており、その影響は国際政治のパワーバランスを変えていく可能性がある。現在では国家だけでなく、企業などの非国家アクターまでデジタルテクノロジーのパワーの獲得競争に加わり、国家対国家、国家対デジタルプラットフォーマーと、テクノロジーによって多極化が促されている。

今日ではデジタルテクノロジーを理解せずに、産業の変化や国家間の覇権争いを理解することは難しく、またその裏返しに、国家間の攻防を見ずにデジタルテクノロジーの今後を占うこともできない時代となった。

民間セクターにおけるデジタルテクノロジーであっても、その根幹である通信インフラに他国の政府がアクセスすることへの懸念が日常化している。近年、注目される例としては、米国による中国の通信インフラ企業であるファーウェイ（華為技術）の排除が挙げられるだろう。ビジネスの世界でも、グローバルリスクとしてデジタルテクノロジーと規制を知らずにゲームに参加することはできない。ある日突然、買収が差し止められ、技術漏洩が起き、サプライチェーンの組み換えを余儀なくされる世界に我々は生きているのだ。

筆者は1980年代、AppleⅡが傍らにあった時代にはじまり、インターネットの発展と共に、米国、アジア、欧州、中東でデジタルテクノロジーに関わってきた。その中には2000年の米国ドットコムバブル、黎明期の中国スタートアップ、イスラエルや北欧・バルト諸国といった風景があり、2003年からスタートアップに投資し、2005年のフジテレビ・ニッポン放送とライブドアの買収攻防を担当し、2012年頃からはAIに関わり、近年では各国政府関係者やシンクタンクとのテクノロジー政策に関する議論も交わしてきた。

本書は国際政治、テクノロジー、ビジネスの交差するテーマについて、先人たちによる数多くの文献にあたり、私が実際に経験した内容も重ねて執筆した。時代の流れの中で、偶然にも筆者自身が様々な光景に遭遇したことを奇貨として、一冊の本としてまとめることとした。

本書は世界を覆い隠そうとするデジタルテクノロジーと国際政治の物語を紐解くことによって、これからの国際秩序と覇権についての考察を試みるものである。本書では鍵となるいくつかのテーマに各章で焦点を当てた。最終章まで通読することで、事象がつながり、全体像が浮かび上がる構成となっている。是非とも一つの物語として最後まで読むことで、その風景全体を見ていただきたい。

従来、政府による経済政策、安全保障、業界規制、そしてデジタルプラットフォーマーに代表される民間企業の経営戦略などは各アクターを個別に観察することが多かった。本書は、パワーバランスの変化を概観するため、各アクターと登場人物の関係性を統合的に見るべきだという立場に立つ。本書は国家や企業という各アクターの行動様式とデジタルテクノロジーの関係性について考察を試みるものである。

デジタルテクノロジーを考察する上で必要な歴史的背景の理解のために第1章で「デジタルテクノロジーの現代史」を扱い、2、3、4、5章はサイバー攻撃やデジタル通貨など、パワーの変化に影響を与え得るテーマに焦点を当て、各アクターの動きを追い、最終章では日本の進むべき道について提言を行う構成とした。

技術革新は常に国家間のパワーに変化をもたらしてきた。

国家は主権、領土、国民で構成される。そして国家のパワーは軍事力、経済力、情報、領土の位置や大きさなどの要素によって規定される。そこにデジタルテクノロジーが新たなパワーとして加わったのが現代である。国家が独占する通貨主権でさえ、フェイスブックのリブラ発行のように、デジタル通貨によって非国家アクターが挑戦することが可能となった。

２０１７年9月にロシアのプーチン大統領は「ＡＩでリーダーとなるものが世界を支配する」と述べ、[4] ２０１７年10月には中国の習近平国家主席が中国共産党第19回全国代表大会において、「製造強国づくりを加速させ、先進的製造業の発展を加速させ、インターネット、ビッグデータ、人工知能（ＡＩ）と実体経済との高度な融合を促し、（中略）新たな原動力を形成する」と述べている。[5] 中国はこれに先駆けて２０１５年5月に「中国製造２０２５」を発表し、半導体や5Gネットワークにおいて２０２５年までに世界の製造強国になることを目指している。政府主導の長期計画の実現に向けて国家のリソースを集中できる強みを活かし、建国１００周年の２０４９年までに社会主義現代化強国の実現を目指すと宣言した。

一方、２０１８年10月に米国のペンス副大統領がハドソン研究所で行った演説の中で、中国はロボティクス、バイオテクノロジー、ＡＩといった世界の最先端技術の90％の支配を目論み、あらゆる手段で米国の知的財産を手に入れようとしていると述べて中国を強く非難し

4—Putin, Vladimir, "Putin stresses whoever takes the lead in artificial intelligence will rule world", TASS, September 1, 2017. https://tass.com/society/963209

5—「習近平氏：小康社会の全面的完成の決戦に勝利し、新時代の中国の特色ある社会主義の偉大な勝利をかち取ろう——中国共産党第19回全国代表大会における報告」『新華社』２０１７年10月28日 http://jp.xinhuanet.com/2017-10/28/c_136711568.htm

た。[6]このように国家のトップがデジタルテクノロジーと覇権について意思表明することは珍しくなくなった。

そして2020年7月23日、米中関係は新しい段階に入った。マイク・ポンペオ米国務長官はカリフォルニア州で「共産主義の中国と自由世界の未来」[7]と題した演説を行った。陸軍士官学校出身で冷戦時代に西ドイツに駐留したこともあるポンペオ国務長官は、この演説で中国は米国のテクノロジーに関わる知的財産、企業秘密、雇用を奪ったと非難した。そして「自由主義世界は新しい独裁体制に勝たなければならない」と中国共産党対米国及び西側諸国という構図を明確にした。

2020年7月24日には米国が中国に知的財産を盗まれているという理由から、ヒューストンの中国総領事館が閉鎖された。これに応じるように中国政府は四川省成都にある米国総領事館の閉鎖を通知した。ニクソン大統領記念図書館で行われたポンペオ国務長官の演説は、1972年のニクソン大統領訪中から50年を待たずして、中国への対立姿勢を世界に示したのだった。[8]

デジタルテクノロジーを制することは、そのまま国家にとっての安全保障、存立基盤を守ることになりつつある。あらゆるものが高速ネットワークに接続される現代では、電力や金融などの公共インフラがサイバー攻撃されれば、人々の社会生活に損害が出る。

6—Pence, Mike, "Vice President Mike Pence's Remarks on the Administration's Policy Towards China", Hudson Institute, October 4, 2018. https://www.hudson.org/events/1610-vice-president-mike-pence-s-remarks-on-the-administration-s-policy-towards-china102018

7—Pompeo, Michael R. secretary of state, "Communist china and the free world's future" Speech, Yorba linda, California, The Richard Nixon presidential library and museum, July 23, 2020. https://www.state.gov/communist-china-and-the-free-worlds-future/

8—NHK「米国務省 ヒューストンの中国総領事館が閉鎖と発表」2020年7月25日

あなたがITカンファレンスでもらったUSBにはマルウエア（悪意あるソフトウエア）が入っているかもしれないし、敵対する国の兵士の私用スマートフォンを操作して軍事施設の内部を位置情報付きで撮影することも、直接、恐喝的なメッセージを送りつけることも今の技術では可能である。国家間の紛争では武力攻撃の代替として、または攻撃計画の初期的段階としてサイバー攻撃が想定され、各国は紛争についてサイバー攻撃を前提として考えている。

デジタルテクノロジーの軍事への応用は各国にとって新しい脅威になり得るため、この脅威を回避しようと各国は外国の政府や企業からの技術へのアクセスに神経を尖らせ、安全保障上の理由で海外からの投資及び技術移転への規制を行っている。このような規制は民間企業に適用され、企業買収や知財移転における障壁となっている。

米国と中国は技術や知的財産の移転に対して牽制し、互いに関税を発動することにより、貿易摩擦を引き起こしている。米国は従来から、外国政府や企業に対し経済制裁を行うことでパワーを行使してきた。関税や経済制裁によって影響力を行使することはエコノミック・ステートクラフトと呼ばれ、それらを濫用する経済政策の「兵器化（Weaponization）」は国際社会に分断をもたらしている。

今後はデジタルテクノロジーによる国家間の覇権争いが激化し、覇権国への挑戦や既存の国際秩序の変更が多く試みられることだろう。[9] 一方でデジタルテクノロジーは国家が独占できるものではない。むしろ開発・運用能力を持っているのはグローバルに事業を展開する多国籍テクノロジー企業であり、その技術を、国家だけでなく非国家アクター＝民間多国籍企業や個人、テロリストや国際犯罪グループなどが、パワーとして欲している。

奇しくも各国がデジタルテクノロジーのパワーを認識し、奪い合う現在は、一党独裁下の経済成長に自信を深める中国と、リベラルな民主主義から離れ、保護主義と自国主義に走る米国の姿が立ち現れた時期と重なっている。米中は現在のデジタルテクノロジーのトップを走る二大大国である。しかし、米中の政治体制、環境におけるテクノロジーの進化過程は大きく異なる。デジタルテクノロジーと民主主義国家、権威主義国家の関係性の違いやその「相性」については、本書でも考察したい。

哲学者のマルティン・ハイデガーは、1953年のミュンヘン工科大学での「技術とは何だろうか（Die Frage nach der Technik）」と題した講演で、[10] 現代の技術が目的のための手段であることを前提としつつ、「人間が技術を制御しようとする意志は、技術が人間の支配には手に負えなくなりそうであればあるほど、それだけいっそう執拗なものとなります」と語っている。人間には手に負えないかもしれない、人間の頭脳さえも代替するようなデジタルテク

9―国際秩序とは、国家間の関係を導く定まったルールや取り決めを指す
Ikenberry , G. John, *Liberal Leviathan: The Origins, Crisis, and Transformation of the American World Order*, Princeton University Press, 2011.

10―マルティン・ハイデガー、森一郎編訳『技術とは何だろうか』講談社、2019年、pp13,99. 1953年11月18日、ミュンヘン工科大学大講堂で開かれたバイエルン芸術アカデミー主催の講演会「技術時代の芸術」での講演

ノロジーを国家、企業、個人が手に入れ、コントロールしようとしている時代にはますます示唆的な言葉だろう。

本書が読者の考察の一助となれば幸いである。

第1章　デジタルテクノロジーの現代史

第2章　ハイブリッド戦争とサイバー攻撃

第3章 デジタルテクノロジーと権威主義国家

第4章 国家がプラットフォーマーに嫉妬する日

第5章　デジタル通貨と国家の攻防

最終章

日本はどの未来を選ぶのか

第1章

デジタルテクノロジーの現代史

アメリカの貿易戦争や技術戦争とファーウェイの間にはあまり大きな関係性はありません

ファーウェイ創業者兼CEO任正非とCNNとのインタビュー筆記録（2019年11月26日）より[1]

なぜ、米国は民間企業であるファーウェイを警戒するのか

２０１８年8月は米中関係が変わる一つのターニングポイントとなった。米国が国防権限法（ＮＤＡＡ）により、米国政府及び政府機関と取引関係を持つサプライヤーについて、中国企業であるファーウェイ製品の社内システムでの利用を禁じたのだ。[2]

２０１９年3月にはファーウェイ側がテキサス州連邦地方裁判所に国防権限法は違憲として提訴[3]したが、２０１９年5月に米商務省は米国輸出管理規則（ＥＡＲ）に基づくエンティティリスト[4]にファーウェイを指定した。[5] これにより、ファーウェイに対して製品を販売・供給する場合は、許可が必要となる。エンティティリスト除外の許可が出ることは難しく、当該措置は事実上の禁輸措置と考えられる。この措置によりファーウェイは米国製の半導体などの使用が難しくなった。

ファーウェイは民間企業にすぎないが、中国で２０１７年に施行された国家情報法[6]の規定や軍民融合の方針、そして中国共産党の指導が経営判断に優先する状況を鑑みて、中国政府の意を受けた諜報行為を通信ネットワーク上で行うのではないかと、米国などは考えている。

1―本文はファーウェイ社ホームページに掲載されている。
https://www.huawei.com/jp/facts/voices-of-huawei/ren-zhengfeis-interview-with-cnn

2―H.R.5515 - John S. McCain National Defense Authorization Act for Fiscal Year 2019
SEC. 889. PROHIBITION ON CERTAIN TELECOMMUNICATIONS AND VIDEO SURVEILLANCE SERVICES OR EQUIPMENT.

3―Huawei Sues the U.S. Government for Unconstitutional Sales Restrictions Imposed by Congress, March 07, 2019.
https://www.huawei.com/en/press-events/news/2019/3/Huawei-Sues-the-US-Government

4―エンティティリストは、商務

私は２０１９年に、たまたま英国・ロンドンのチャタムハウス（王立国際問題研究所）で開かれたサイバーセキュリティ関連のカンファレンスで、欧州のファーウェイのスタッフと英国政府のサイバーセキュリティ機関の人間が話している場に居合わせたことがある。ファーウェイ側は、「自分たちは純粋な民間企業である」と主張したが、政府機関側の主張は「今はそうかもしれない、でもそれはいつでも変わるだろう」というものであった。

ファーウェイは通信機器メーカーとして、世界シェア約30%を占めるトップ企業であり、次世代通信ネットワークである5Gの構築においてノキア（フィンランド）、エリクソン（スウェーデン）に並んで主要プレイヤーとされている。

２０１８年の同社アニュアルレポート[7]によれば、売上７２１２億人民元（約11・6兆円）[8]、純利益５９３億人民元（約９５７７億円）、従業員数18・8万人の巨大な未公開企業である。世界の１８２の通信キャリアと5Gの試験を行い、4万の5G基地局を出荷している。

ファーウェイはスマートフォンでもサムスン、アップルに伍する三強の一角を担っているが、米国政府の制裁により、グーグルはファーウェイに対してスマートフォンのOSであるアンドロイドのアップデートを停止している。アンドロイド自体はオープンソースなので使い続けられるが、ファーウェイはこのアップデート停止に伴い、付随するGmail、ユーチューブ、グーグルマップなどのグーグルの各種アプリを利用できないこととなった。また

省産業安全保障局（BIS）が管轄する

5—Bureau of Industry and Security, Export Administration Regulations, Supplement No. 4 to Part 744 - ENTITY LIST, https://www.bis.doc.gov/index.php/documents/regulation-docs/691-supplement-no-4-to-part-744-entity-list/file November 13, 2019.

6—中国国家情報法　第7条　国民と組織は、法に基づいて国の情報活動に協力し、国の情報活動の秘密を守らなければならず、国は、そのような国民及び組織を保護する

「中国の国家情報法」国立国会図書館　調査及び立法考査局　主任調査員　海外立法情報調査室　岡村志嘉子

7—ファーウェイ　２０１８年度アニュアルレポート　https://www.huawei.com/jp/

ファーウェイの採用する半導体には、ソフトバンクが買収したことでも知られる英国半導体設計会社のアームの技術が使われているが、アームは2019年5月にファーウェイとの取引停止を発表した。

ファーウェイはWIPO（世界知的所有権機関）の特許協力条約（PCT）[9]に基づく国際出願において2016年、2017年、2018年と3年連続世界第1位となっており、単独出願[10]者による年間最大出願数の記録を保持している。また、1978年から2018年の間にPCT出願を行った累計数では、第1位である日本のパナソニックの3万4081件に続いて3万3899件の第2位となっている。[11]特許は質が重要であることは言うまでもないが、一定以上の質があれば物量は競争力となる。この特許出願件数からもファーウェイのグローバルでの競争力の高さ[12]が理解できるだろう。

巨大企業であるとはいえ一民間企業であるファーウェイに、米国政府はなぜ厳しい制裁を課すのか。その背景には、国家の覇権に技術が影響を与えてきた歴史的経緯と、これまでの技術以上にデジタルテクノロジーが影響力を持つという予測があるからだろう。米国には、今後のデジタルテクノロジーの根幹を担う次世代通信ネットワーク5Gの設備全体を提供できる、ノキア、エリクソン、ファーウェイのような通信ネットワークを担う企業がない。米国に過去存在したルーセントテクノロジーズやカナダを代表する通信ネットワーク企業だっ

press-events/annual-report/2018

8—2018年、1人民元=16・15円換算

9—PCT=Patent Cooperation Treaty

10—WIPO Patent Cooperation Treaty Yearly Review 2019. Top PCT applicants https://www.wipo.int/edocs/pubdocs/en/wipo_pub_901_2019.pdf

11—WIPO Patent Cooperation Treaty Yearly Review 2019. S8. Top 50 PCT applicants, 1978–2018 https://www.wipo.int/edocs/pubdocs/en/wipo_pub_901_2019.pdf

12—ファーウェイはコスト競争力強化にも注力している。ファーウェイは2014年には生産ライン

たノーテルネットワークスは、すでに合併、あるいは清算された。

米国のシンクタンク、CSIS（戦略国際問題研究所）のジェームス・ルイス氏は北米から5Gを担う企業が消えた理由を、外部による技術盗用だとしている。同氏は「ファーウェイは産業スパイの実績があり、ノーテルネットワークスの経営破綻の一因は、ファーウェイによる技術の盗用とコピーにある」[13]と述べた。ブルームバーグ・ビジネスウィーク誌によれば2004年にはノーテルのCEOだったフランク・ダンをはじめとした経営幹部のアカウントがハッキングにより侵入され、研究開発、設計に関わる大量の機密文書ファイルが中国のIPアドレスに送られたという。[14] また、ファーウェイはノーテルの5G技術者を約20人採用し、現在のファーウェイのワイヤレス事業最高技術責任者のウェン・トンもそのうちの一人だったと同誌は報じている。一方、ファーウェイ側はノーテルへのハッキングへの関与、情報の受領などのすべての行為を明確に否定している。

2020年6月、5Gネットワークを手に入れるために、トランプ政権がスウェーデンのエリクソンやフィンランドのノキアの買収について民間の通信会社やプライベートエクイティファンドと議論をしていると報道された。[15] この議論からは、必要な技術を獲得しようとする米国側の強い意向が垣間見える。米国は安全保障の枠組みにおいて、非友好国からの買収や資本参加、技術流出を規制によって妨げる一方で、友好国の企業を買収できないか

に80〜90人の作業者を配置していたが、トヨタ自動車の元技術者を招き、自動化設備を自社開発できる体制をつくってきた

13—Dr. Lewis, James, Senior Vice president and Director of the Technology Policy Program at CSIS, CSIS China Power Podcast, "The Real Costs of Huawei Technology" 3:51

14—Obiko Pearson, Natalie, 「中国の攻撃でナンバーワン企業破綻か、トップ継いだのはファーウェイ」Bloomberg, 2020年7月6日 原題：Did a Chinese Hack Kill Canada's Greatest Tech Company?

15—FitzGerald, Drew and Krouse, Sarah, "White House Considers Broad Federal Intervention to Secure 5G Future", The Wall Street

探っているのだ。テクノロジー覇権を守るためになりふり構わない米国の姿がそこにある。

Journal, June 25, 2020.

歴史は繰り返す

米国による中国企業ファーウェイに対する制裁を見て、日本の経済界から「日米半導体摩擦や東芝ココム事件を思い出した」や「米国は海外企業が一定規模を越えると、必ず政治的に叩きに来る」などの声が上がった。

日米貿易摩擦は日米が同盟国であったため経済問題にフォーカスできたが、ファーウェイ問題は経済と安全保障の両方に関わっている。ただし、産業界に目を向ければ、米国と中国のサプライチェーンはすでに切り離すことが難しいほどに相互依存している。米国アップル社のiPhone6の部品サプライヤーは中国が349社ともっとも多く、次に日本が139社、米国が60社だ。[16] 中国のサプライヤー無くしてはiPhone6を生産することはできないのだ。しかしながら、経済と安全保障が近づくほど、産業界はその影響を無視できず、実務的にも「結局は政治しだい」という状況が生まれ得る。

これまでは、「クリーンなサプライチェーン」と言えば環境負荷が低いことを意味したが、安全保障上、問題となり得る部品などが混入していないかどうかを指す時代が来るかもしれない。米国政府を相手とする宇宙ベンチャーなどでは、安全保障領域に近いこともあってそ

16—Schwartz, Elaine,"What Do iPhones and Pencils Have in Common?", econlife, September 24, 2014. https://econlife.com/2014/09/globalization-of-the-iphone-6-supply-chain/

米国政府による経済制裁や買収への介入はビジネスに影響を与える。写真はワシントンDCのホワイトハウス（以下本書の写真はすべて著者撮影）

うした声もすでに聞こえる。またソフトウエア開発のために米国政府の保有する脆弱性情報データベース[17]にアクセスするためには、従業員個人が米国のセキュリティクリアランス資格を保有している必要がある。この資格を得るためには、家族関係、海外渡航歴、薬物使用歴、個人の財務状況など広範な個人情報を政府に提供し審査を通過する必要がある。

米国企業の買収案件についても米国政府は介入を行っている。たとえば2018年、シンガポールの半導体メーカー、ブロードコムによる米同業のクアルコムへの買収額11兆円とも想定された敵対的買収はCFIUS（対米外国投資委員会）の安全保障上の理由に基づく勧告を受け、大統領令によって差し止められた。[18] CFIUSは財

17—脆弱性情報データベースとは、ハッキングなどに悪用される可能性のあるバグを一般公開したもの。アメリカ国立標準技術研究所（National Institute of Standards and Technology, NIST）のものが有名

18—Harvard Law School Forum on Corporate Governance "Broadcom's Blocked Acquisition of Qualcomm", April 3, 2018. ブロードコムによるクアルコムの買収経緯と安全保障、通商政策の詳細についてはこちらを参照のこと

務省を中心とした横断的な審査機関である。ＣＦＩＵＳは米国の重要インフラや基盤技術に対し、外国企業・投資家が実質的な影響力を持つか否かを基準に、外国企業が米国企業へ投資する際の差し止め勧告を行っている。

このブロードコムによる米国クアルコム買収の際に、米国財務省からクアルコム側アドバイザーの法律事務所宛で「Re:CFIUS Case 18-036（以下略）という勧告が出されており、その中で、クアルコムが買収されることは米国の安全保障上の脅威となること、ファーウェイの名前を挙げて中国企業に５Ｇを支配されることは米国の安全保障に重大な悪影響を及ぼすこと、米国国防総省（ＤｏＤ）の国防プログラムがクアルコムの製品に依存していることが記載されていた。[19]

クアルコム側の法律事務所が買収阻止のために米国財務省から勧告を引き出した可能性もあるが、勧告の内容からは、米国の明確な中国への警戒とテクノロジーの保全の意思が読み取れるだろう。

米国政府は同年２０１８年３月22日、中国に対して通商法第３０１条による制裁を決定した。そのなかで、中国企業が米国企業を買収あるいは投資することを促す中国の産業政策によって、米国の先端技術及び知的財産の移転が行われていると主張している。[20]

２０１８年８月には対米外国投資リスク評価現代化法（ＦＩＲＲＭＡ）[21]が成立し、ＣＦＩＵＳによる外国企業の投資案件の対象範囲が拡大された。その審査プロセスも変更され、対米

19—U.S. DEPARTMENT OF THE TREASURY Re:CFIUS Case 18-036:Broadcom Limited (Singapore) / Qualcomm Incorporated, March 5, 2018. https://www.sec.gov/Archives/edgar/data/804328/000110465918015036/a18-7296_7ex99d1.htm

20—Presidential Documents, Federal Register/Vol. 83, No. 59/Tuesday, March 27, 2018/Presidential Documents 13099, Memorandum of March 22, 2018, Actions by the United States Related to the Section 301 Investigation of China's Laws, Policies, Practices, or Actions Related to Technology Transfer, Intellectual Property, and Innovation

21—FIRRMA=The Foreign Investment Risk Review Modernization Act

投資の事前届出が義務となった。[22]

２０２０年１月に米財務省はＣＦＩＵＳの届出を免除するホワイト国リスト（2年間の期限付き）を公表したが、日本は除外された。ホワイト国はオーストラリア、カナダ、英国となり、諜報活動による情報を共有するＵＫＵＳＡ協定[23]を締結している「ファイブアイズ」５ヵ国からニュージーランドを除いた各国となった。[24]米国の同盟国でありながら除外されたことは日本にとって不都合な事実だ。日本企業による情報漏洩や、日本企業がハッキングを受ける事例も増えていることから、米国政府は、日本企業を通じて技術情報が中国に流出することを懸念したとも考えられる。米国から技術情報を取得できないことは、日本企業にとって経営課題となっていくことだろう。

米国がＣＦＩＵＳの対象範囲を拡大するなか、米国が主張する中国企業による強制的な技術移転の懸念について、中国政府が対応を見せてきた。２０１９年３月、全国人民代表大会において、中国での外資企業の投資を保護する外商投資法に「行政機関とその職員が行政手段を利用して技術移転を強制してはならない」と記載する最終案を公表したのである。[25]ただし、行政機関には技術移転の強制を禁じたものの、依然としてそれ以外の民間における抜け道は残ったといえる。

日本企業も米国ＣＦＩＵＳによる規制の動きを無視することはできない。日本企業による

22—Summary of the Foreign Investment Risk Review Modernization Act of 2018 https://www.treasury.gov/resource-center/international/Documents/Summary-of-FIRRMA.pdf TITLE XVII—REVIEW OF FOREIGN INVESTMENT AND EXPORT CONTROLS https://home.treasury.gov/sites/default/files/2018-08/The-Foreign-Investment-Risk-Review-Modernization-Act-of-2018-FIRRMA_0.pdf

23—UK/USA: Agreement 参考：Agreement between the government of the united kingdom of great Britain and northern Ireland and the government of the united states of America on access to electronic data for the purpose of countering serious crime https://assets.publishing.service.gov.uk/government/uploads/

投資が差し止められる可能性もあるからだ。技術流出は日本でも長年の懸念であり、2003年には経済産業省が技術流出防止指針を策定している。[26] また米国の動きに合わせて、自民党のルール形成戦略議員連盟（会長：甘利明）が買収による海外への技術流出防止策の議論を行っている。政府系技術機関の科学技術振興機構（JST）や新エネルギー・産業技術総合開発機構（NEDO）などが、大学の研究室への海外からの資金流入や外国人留学生の経歴を把握し、不正な技術移転を防止しようとしている。

米ペンス副大統領のハドソン研究所での演説に代表されるような米国のテクノロジー流出に対する強い懸念は、規制や制裁となって現れている。そこにはテクノロジーの他国への流出が覇権の喪失につながる恐怖があるのだろう。

技術を盗むのは誰か？

「この国の産業技術を盗もうとする国は多かった」

ベルリンの壁が崩れ、冷戦時代が終わる直前、1989年3月に出版された『テクノヘゲモニー　国は技術で興り、滅びる』（薬師寺泰蔵著）[27] の冒頭はこの一節からはじまる。

「この国」の技術を盗むために他国はあらゆる手を尽くし、ある国は領事が本国に技術情報を送った。技術を守るため、政府は移民法や貿易管理法を厳しくし、技術者の移住には国籍

system/uploads/attachment_data/file/836969/CS_USA_6.2019_Agreement_between_the_United_Kingdom_and_the_USA_on_Access_to_Electronic_Data_for_the_Purpose_of_Countering_Serious_Crime.pdf

24—『ホワイト国』日本外れる　米外資新規制の免除リスト公表　技術投資、企業に自衛迫る」『日本経済新聞』2020年1月24日

25—「中国・外商投資法　技術移転の強制禁止『抜け道』懸念も」『日本経済新聞』2019年3月8日

26—経済産業省「技術流出防止指針〜意図せざる技術流出の防止のために〜」2003年3月14日

27—薬師寺泰蔵『テクノヘゲモニー　国は技術で興り、滅びる』中央公

剥奪の処置を講じた。だが、他国への技術漏洩は止まらず、機械はばらばらに分解され密輸された。『テクノヘゲモニー』ではこうした技術漏洩の様子が描かれる。自国の技術を守ろうとした国はどこだろうか。テクノロジー大国の米国か。技術を盗もうとした国はソ連か、または台頭する中国か。

『テクノヘゲモニー』では自国の技術を守ろうとした「この国」は実は英国であり、技術を盗もうとした国はソ連や中国ではなく米国やフランスであった。19世紀初頭において、米国は執拗に英国の技術を盗んでおり、「英国の繊維機械は、英国自身の覇権と安全を保障する技術そのものであったのである」と述べられている。技術獲得による国家の覇権争いは、デジタルテクノロジー登場のはるか以前から続いてきた。その本質を理解するためにも、ここでは歴史を遡ってみたい。

『テクノヘゲモニー』の「ヘゲモニー」は「覇権」を意味するため、『テクノヘゲモニー』は「技術覇権」を指す。先述の米国が英国の繊維機械技術を盗んでいた様子は、現在のテクノロジー大国である米国も、歴史を遡れば過去には技術を盗む側にいたことを示している。

日本を交えた事件としては、1987年に起きた東芝ココム事件がある。東芝機械がココム規制に違反して米国の技術情報をソ連に流出させたとされ、米国の議員は「日本は米国と西側諸国の安全保障に損害を与えた」、「日本は安全保障に関心が無く、金儲けだけだ」と糾

論社、1989年、pp3-5.
薬師寺泰蔵　1944年生、マサチューセッツ工科大学政治学大学院博士課程修了、1991年より慶應義塾大学法学部教授、技術と国際関係論専攻

弾し、米国国内での激しい日本批判が起こった。[28] ココムとは1949年発足の対共産圏輸出統制委員会[29]のことである。翌年1988年には対日報復措置だと考えられる、不公正貿易国に対する制裁を目的としたスーパー301条が成立している。

東芝ココム事件とは、プロペラ切削用の同時9軸制御工作機械が不正にソ連に持ち込まれ、その工作機械によりソ連の原子力潜水艦のスクリュー音の低減が可能になると米国が主張したものである。当時の事件を知る日本人からすれば、近年の米国のファーウェイ問題、中国叩きに既視感を覚えるのではないだろうか。東芝ココム事件は戦後、経済的に勃興し米国を脅かす存在となった日本に対する米国の懸念を背景としていたと考えられる。

一方で、当時の日本は米国の同盟国だったため、西側自由主義陣営の一端を担っていた「仲間内」の話ではあった。そういう意味では、2020年代、陣営を異にする中国がテクノロジーによってより一層の経済力と軍事力を獲得することには、米国がより強い懸念を抱くと考えられる。

日本製半導体の勃興と凋落

1970～1980年代には日米半導体摩擦の嵐が吹き荒れた。半導体技術は産業的、軍事的優位を確立する上で極めて重要であり、それを他国、この場合は日本に米国が依存する

28—NHKアーカイブス「東芝機械ココム違反　日本への米の怒り」1987年 https://www2.nhk.or.jp/archives/tv60bin/detail/index.cgi?das_id=D0009030700_00000

29—COCOM＝Coordinating Committee for Export Control

ことは安全保障上の懸念があった。
米国の技術を獲得して猛追した日本の半導体メーカーの市場シェアは、現在摩擦をひき起こしている通信ネットワーク規格5Gのシェア争いと比較しても、米国を動揺させるに十分であった。日系半導体メーカーの出荷シェアは1986年に米国を抜き世界1位（46%）となり、1988年には50%を超えた。[30] 日本企業の勢いは凄まじく、1981年に64KDRAMにおいては日本企業（日立、富士通、NEC）が約7割のシェアを占めたとフォーチュン誌が報じている。

当時は米国の日本企業への恐怖から、日本人はシリコンバレーのスパイとも形容され戯画化されていた。そしてかねてから日本の輸入障壁などに対し対日批判をしてきたSIA（米国半導体工業会）[31]は、1985年6月に日本製DRAMに対し、1974年通商法第301条（貿易慣行への対抗措置）に基づき通商代表部（USTR）にダンピング（不当廉売）提訴を行った。[32] その翌年、1986年9月には日米半導体協定（第一次）が署名された。[33]

また、当時は存在が伏せられていた日米間のサイドレターには「外国系半導体の販売が5年で少なくとも日本市場の20%を上回るという米国半導体産業の期待を、日本政府は認識」と明記された。[34] 数値目標を課された日本の半導体業界は、その後弱体化していき、90年代半ばには需要の減少によるDRAM不況と韓国メーカーの台頭もあり、日系メーカーはその後DRAMから撤退していくこととなった。

30—日本半導体歴史館「1986年 世界半導体市場における日本半導体シェアは米国を抜き世界の第一供給者となった〜業界動向〜」
https://www.shmj.or.jp/museum2010/exhibi065.htm

31—SIA=Semiconductor Industry Association 1977年設立

32—ダンピングとは不当廉売を指し、日本企業が市場価格を無視した価格で製品を販売することによって公正な競争を阻害していると訴えたのである。
日本半導体歴史館 牧本資料室 第1展示室「バック・ツー・ザ・フューチャ・半導体」第12話 日米半導体戦争火を噴く
https://www.shmj.or.jp/makimoto/pdf/makimoto_01_12.pdf

33—日米半導体協定では、外国製半導体の日本市場での販売拡

20年後の２０１０年代においては、日本企業はフォトマスク、エッチング、洗浄などの半導体製造装置、シリコンウエハやフォトレジストなどの材料でシェアと収益率を維持することとなった。日本企業は、デジタルテクノロジーのバリューチェーンを川上に移り、製造装置を提供する側に回ったといえる。

そして２０２０年代、米国に挑戦し新たな覇権を目指す中国が半導体の国産化を急いでいる。中国は半導体投資を行う政府系ファンド「国家集成電路産業投資基金」を運営し、「中国製造２０２５」では半導体の国内自給率を２０２５年までに70％へと高める目標を掲げている。

パーソナルコンピュータとWintel同盟の登場

90年代には、日米政府の政治的駆け引きだけでなく、製品、業界構造にも変化があった。半導体の需要は大型のメインフレームからパーソナルコンピュータ（ＰＣ）に移っていったのである。

ＰＣ時代に覇者となったのはＰＣに使用されるＣＰＵのデファクトスタンダードを握ったインテルだった。ＰＣのＯＳにおける覇者となったマイクロソフトのＷｉｎｄｏｗｓと共に、インテルがメモリであるＤＲＡＭの内容を規定し、「Ｗｉｎｔｅｌ同盟」と呼ばれるほ

大の支援、政府支援による特許に対する外国企業の完全かつ衡平なアクセス、日本政府による米国向け輸出半導体のコストと価格の監視などが規定された。
経済産業省「日本の半導体に関する第三国モニタリング措置」１988年5月4日採択
https://www.meti.go.jp/policy/trade_policy/wto/3_dispute_settlement/33_panel_kenkyukai/1990/90-25.pdf

34—藤田直央『外国製半導体のシェア20%に』秘密書簡　日米協議」『朝日新聞』２０１8年12月19日

どの関係が構築された。「Ｗｉｎｔｅｌ同盟」は数多のサードパーティ（第三者企業）に大きな影響力を持つに至った顕著な例であろう。

今でこそ、製品の高付加価値部分は自社でブラックボックス化し、コモディティ部分はサードパーティにオープンにすることによって競争をさせ、コスト低減を狙う企業戦略は一般的だ。このいわゆる「オープン＆ブラックボックス戦略」の先駆けとなったのがインテルだった。インテルは自社のＭＰＵ（マイクロプロセッサ）の中身はブラックボックスにして、ＭＰＵとサードパーティの周辺機器の接続部分であるＰＣＩバスなどはオープンにし、標準化することでサードパーティを呼び込んだ。同時にインテルのＭＰＵが搭載されたマザーボード[35]の設計もオープンにして台湾メーカーが大量生産できるようにした。これによりインテルが搭載されたマザーボードを使ったＰＣは普及し、オープン部分の機器を生産するサードパーティのメーカーは市場参入が容易なためにプレイヤーが増え、価格低下の波にさらされることとなった。

Ｗｉｎｔｅｌ同盟は当時の「プラットフォーム・リーダー」として、製品の機能・性能を規定していった[36]。また、半導体の業界構造自体も設計と生産を分離するファブレス方式[37]が主流となっていった。

日米半導体摩擦については様々な場面で語られているが、技術の変遷、そして国際政治による企業への影響を考察する上で、興隆を極めた日本の半導体産業が米国の政治介入により

35—マザーボードとはチップセットやメモリスロットを持つ、PC用の部品を取り付ける主要な基盤のこと

36—猪俣哲史『グローバル・バリューチェーン　新・南北問題へのまなざし』日本経済新聞出版社、2019年、p160.

37—ファブレス方式とは、工場のような設備を自社で持たずに生産を外部委託すること

凋落していった様子は重要な事例である。

２０２０年代のデジタルテクノロジーを巡る環境で異なるのは、半導体というハードから、ソフトウエアとネットワークへとパワーが大きく移っている点、そして民間企業であるデジタルプラットフォーマーがコミュニケーションやメディア、そして決済、通貨の発行という領域まで広く担っているがゆえに社会的影響力が高まっている点が挙げられるだろう。

トゥキディデスの罠と中国の締め出し

『テクノヘゲモニー』では20世紀初頭に、当時最先端であった英国の通信覇権を米国が奪う様子も描かれる。海洋覇権国家だった英国にとって統治技術たる通信技術は重要であった。当時の米国もこの英国の通信覇権下にあったが、米国は１９１６年、米ＧＥ社の開発した遠距離音声無線通信技術を同盟国の英国企業に渡すことを政府介入によって差し止め、代わりに１９１９年に国策企業の無線通信を担うＲＣＡ社をつくってしまった。[38]

現在では覇権国としてテクノロジーの流出を懸念し規制する側にある米国は、かつては覇権国の英国に対する狡猾な挑戦者だったのだ。[39]

時は流れ、２０２０年代に各国はソフトウエアと通信ネットワークといった技術を奪い合

38―薬師寺泰蔵『テクノヘゲモニー国は技術で興り、滅びる』中央公論社、1989年、pp201-203.

39―国際政治学者の田中明彦政策研究大学院大学学長も、19世紀末に英国を追い上げたのは米国やドイツであったとした上で、産業化の進展の差異による「パワーシフト」と「覇権競争」は近代の特徴となった、と述べている（田中明彦『ポストモダンの『近代』 米中『新冷戦』を読み解く』中央公論新社、2020年）

い、グローバルネットワークを行き交う情報・データこそが安全保障に関わると認識している。大国同士の貿易摩擦、そしてテクノロジーの争奪戦はこれまでの歴史上、幾度となく繰り返されており、テクノロジー後進国は必ず先進国から技術移転を行い、追い越していくと考えられる。加えて、覇権国とそれに挑戦する台頭国が戦乱へと陥るいわゆる「トゥキディデスの罠」[40]はどの時代にも見られる傾向である。「トゥキディデスの罠」が起こり得るのは覇権国からパワーを奪うような経済とテクノロジーの変化、そして成長力の異なる挑戦者が現れたときである。[41]これはまさに現在の米国と中国の関係ではないだろうか。

一方、現在が繊維機械技術の時代と異なる点がある。グローバルネットワークが張り巡らされた環境では、自国の技術が他国の技術に劣後した際に、他国の技術を使う選択をすればコントロールできないネットワークを自国に招き入れることとなり、安全保障上の脆弱化を意味する。つまり、他国に自国の技術が流出することに加えて、他国の通信技術を使用することで様々な情報が流出する事態も懸念せねばならない。[42]

しかも、一度構築された通信ネットワーク環境を変更することは困難である。5Gの基地局のようなスイッチングコストの高い通信インフラの構築が完了した場合、それをゼロから構築し直すのは事実上不可能だ。5G技術自体が4G技術をベースにしており、そこには連続性がある。米国による中国の通信機器メーカーであるファーウェイの市場からの締め出しと制裁はこうした懸念に端を発するものであった。なお、同じくスイッチングコストが高く

40―「トゥキディデスの罠」とは新興国が覇権国を脅かすことによって戦争へと至ることであり、米国の政治学者グレアム・アリソンの言葉。古代ギリシャの歴史家トゥキディデスが覇権国スパルタと新興国アテネが戦った「ペロポネソス戦争」を記したことにちなむ

41―Gilpin, Robert, "The Theory of Hegemonic War", The Journal of Interdisciplinary History, Vol. 18, No.4 (Spring 1988), pp 591-613.

42―基地局間で盗聴されたとしても一般的にはプロトコルでデータが暗号化されているため、解読は容易ではない

代替が難しい物理的施設としては海底ケーブルも挙げられる。安全保障関係者の中には、通信の大本となる海底ケーブルこそ重要だと考える者もいる。

2018年頃、諜報活動による情報を共有するUKUSA協定を締結している「ファイブアイズ」と呼ばれる米国、英国、カナダ、オーストラリア、ニュージーランドの5ヵ国は、安全保障上の懸念から5Gネットワークの構築において、ファーウェイ製品を採用するか否かが論点となっていた。政府は製品能力とコストを、安全保障リスクと比較することを迫られた。ファイブアイズに入っていない欧州のドイツ、イタリア、フランスはファーウェイを排除しておらず、たとえばドイツのドイツテレコムの5Gネットワーク構築にはファーウェイ製品が使われている。

ファイブアイズの一角のオーストラリアの通信電子局（ASD）は、5Gネットワークがサイバー攻撃によって内部機器にアクセスされた場合のリスクは極めて大きいと評価し、同国の5Gネットワークからファーウェイを事実上排除した。オーストラリアの情報提供を受け、米国政府も次々とファーウェイに対する規制に乗り出すこととなった。[43]

一方で米国のもっとも強力な同盟国である英国はファーウェイ製品の5Gの主要なパーツを除いた利用を許可した。[44] 英国はブレグジット（英国のEU離脱）による経済の混乱もあって、一層、中国への経済的依存が高まることが想定され、この時点では中国との関係を重視した

43―ロイター「特別リポート：ファーウェイ排除の内幕、激化する米中5G戦争」2019年5月24日 https://jp.reuters.com/article/huawei-usa-5g-idJPKCN1SU041

44―英国政府 Department for Digital, Culture, Media & Sport, National Cyber Security Centre, and The Rt Hon Baroness Nicky Morgan "New plans to safeguard country's telecoms network and pave way for fast, reliable and secure connectivity" January 28, 2020. https://www.gov.uk/government/news/new-plans-to-safeguard-countrys-telecoms-network-and-pave-way-for-fast-reliable-and-secure-connectivity

対応を取ったと考えられる。[45] 英国によるこの決定は米国、そして主要な同盟国たるファイブアイズ各国を驚かせた。ニュージーランドでは携帯通信大手のスパークが5Gにファーウェイ機器を採用する計画を発表しており、[46] ファイブアイズ各国のファーウェイ製品に対するリスク認識と対応の足並みは揃っていなかったといえる。

２０２０年5月13日、米国トランプ大統領は1年前の２０１９年5月15日に発令した大統領令[47]を1年延長した。この大統領令は実質的にファーウェイなどを対象にしており、米国内の通信ネットワークへの外国企業の関与を禁止するものだった。

米国の強硬な姿勢を受けて、大統領令の延長の10日後、5月23日にはボリス・ジョンソン英首相が、英国における5Gネットワークへのファーウェイによる関与を２０２３年までにゼロにまで減らすと報道された。続く7月14日、ボリス・ジョンソン英首相は英国のネットワークキャリアが5G用ファーウェイ製品を購入するのを禁じ、２０２７年までの既存のファーウェイ製品の撤去義務を発表した。これらのコストは20億ポンド（約２７００億円）に上るとされている。[48][49][50]

英国のファーウェイ製品容認から、一転して既存機器の撤去に至るまで、この背景にはやはり「特別な関係」である米国からの情報提供と圧力が大きかっただろう。同時期に英国で多くの死者を出している新型コロナウイルスへの初期対応に関する中国政府への感情悪化も影響したかもしれない。そして英中対立の方向性を決定的にしたのは、香港での中国政府に

45—"Britain Defies Trump Plea to Ban Huawei From 5G Network" The New York Times, January. 28 2020.

46—「NZ通信スパーク、政府懸念も5Gでファーウェイ採用」『日本経済新聞』2019年11月18日

47—Executive Order on Securing the Information and Communications Technology and Services Supply Chain, May 15, 2019. https://www.whitehouse.gov/presidential-actions/executive-order-securing-information-communications-technology-services-supply-chain/

48—Tominey,Camilla, "Boris Johnson to reduce Huawei's role in Britain's 5G network in the wake of coronavirus outbreak" The Telegraph, May 23, 2020.

よる香港国家安全維持法の施行に対する英国の反応だろう。ジョンソン首相が国家安全維持法は１９８４年に英国と中国が調印した共同宣言に違反しているとし、香港市民の英国への移住を認める方針を打ち出したのである。[51] かつてブレア首相時代に「黄金時代」と表現された英中関係はそのブレア元首相をして「西側諸国は中国と軽い冷戦にある」[52]と言わしめる時代に入った。

イノベーションは軍事的「脅威」から生まれてきた

国家の安全保障における「脅威」は技術革新の苗床となってきた。これはどの時代でも変わらない。たとえば、現在に続くデジタルテクノロジーの起点としてスプートニク・ショック（Sputnik crisis）は大きな役割を果たした。

１９５７年10月４日、ソ連は人類初の人工衛星「スプートニク１号」の打ち上げに成功した。敵対するソ連が人工衛星の打ち上げに成功した事実は米国と西側諸国に大きな衝撃と安全保障上の危機感をもたらした。

今日では軌道上にある人工衛星[53]は約４４００機以上[54]あり、あなたのスマートフォンのＧＰＳ[55]も人工衛星の恩恵を受けている。人工衛星が無ければグーグルマップで自分の位置を確認して、お目当てのレストランにたどり着くこともできないことだろう。しかしながら１

49—Sabbagh,Dan, "Boris Johnson forced to reduce Huawei's role in UK's 5G networks" The Guardian, Fri 22 May 2020.

50—Woodcock, Andrew, "Boris Johnson bans Huawei from UK's 5G network in major U-turn" INDEPENDENT, July 14, 2020.

51—Donaldson , Kitty and Morales, Alex, "U.K. Offers Home to Hong Kong Citizens After China Crackdown", Bloomberg, July 2, 2020.

52—Faulconbridge,Guy, Threlfall, Axel, "West faces 'light Cold War' with China, Blair's institute says"Reuters, June 24,2020.

53—現在では信じがたいことだが、米国は中国にロケット及び人工衛星技術を提供していた。19

９５０年代には人工衛星の最初の1機の打ち上げの成功のために、超大国同士が争っていたのだ。

冷戦時代、米国とソ連は人工衛星技術と軌を一にするミサイル技術で国家の存亡をかけて競争しており、宇宙での敗北は軍事的な敗北をも意味した。スプートニク・ショックの翌年１９５８年にはアイゼンハワー大統領政権下、ＮＡＳＡ（米国航空宇宙局）[56]とＤＤＲ＆Ｅ[57]傘下にＡＲＰＡ（高等研究計画局）[58]が設立された。後にＡＲＰＡの頭には「Ｄｅｆｅｎｓｅ」（国防、防衛）の「Ｄ」がつけられる。冷戦から生まれた軍事科学技術研究機関であるＤＡＲＰＡはインターネットの前身となるＡＲＰＡＮＥＴのコンセプトの多くを開発し、インターネットの生みの親[59]と言われる。

今から50年程前、１９６８年、ＤＡＲＰＡのスーパーコンピュータＩＬＬＩＡＣⅣの開発者であり、コンピュータ・グラフィックの専門家アイヴァン・サザーランドと実験心理学者のロバート・Ｗ・テイラーは共同執筆した小論の中で、「数年内に、人間は直接会うよりも効率的に、機械《マシン》を通してやりとりできるようになるだろう」と予想した。

テイラーは複数のコンピュータをネットワーク上で接続した際に1台のコンピュータに問題が生じてもネットワークの別の経路を使ってメッセージを届ける「ネットワークの冗長化」という概念を考案した。１９６９年、ＵＣＬＡ（カリフォルニア大学ロサンゼルス校）が世

９６年2月14日、中国の西昌発射場から発射された米国製のＩｎｔｅｌｓａｔ　７０８衛星を搭載したロングマーチ3Bロケットが墜落した。米国側はその墜落現場の検証から技術流出が起こり、中国のロケット技術が向上したとしている Mintz, John, "Missile Failures Led To Loral-China Link Chinese Rocket" The Washington Post, June 12, 1998.

54—ＪＡＸＡ https://fanfun.jaxa.jp/faq/detail/57.html

55—２０２０年6月時点ではＧＮＳＳ（全地球航法衛星システム）は米国のGPSの他に、ロシアの「グロナス」、EUの「ガリレオ」、中国の「北斗」がある

56—ＮＡＳＡ＝National Aeronautics and Space Administration

界初の「ノード」になり、初のＥメールはＵＣＬＡからスタンフォード大学へと送られた。[60] その後、接続先は増え、既存ノードと新規ノードがシームレスに接続するための通信制御プロトコル（ＴＣＰ）とインターネット・プロトコル（ＩＰ）が生み出された。[61] 現在のインターネットでも基礎的な仕組みは変わっていない。

ＤＡＲＰＡの生んだインターネットは個人にメディアと発信力を与え、社会と人々の生活を変えてきた。皮肉なことではあるが、「世界をより良い場所にしたい」と語るシリコンバレーの起業家が拠って立つインターネット技術は、冷戦時代の脅威が生み出した軍事研究機関にインキュベーション（育成支援）されたのだった。

スプートニク・ショックから生まれた米国のＤＡＲＰＡは「戦略的、技術的サプライズを与える側になっても、その犠牲者にはならない」[62]と宣言し、60年以上にわたり不可能に挑戦するような革命的な技術の研究を行ってきた。米国の軍事科学技術研究機関の中でも、もっともハイリスクかつゲームチェンジャーとなるようなインパクトの大きいプロジェクトを扱う研究機関だと言える。

その研究のなかには、先述のインターネットやＧＰＳ、ステルス技術、音声認識技術、翻訳技術、脳とコンピュータを接続するブレイン・マシン・インターフェースなどがあり、それらはまるで現在のデジタルテクノロジーのカタログのようだ。たとえばＤＡＲＰＡはベトナム戦争中、１９６０年代にすでにドローンを開発していた。今から60年前のことだった。

57—ＤＤＲ＆Ｅ=Director of Defense Research and Engineering

58—ＡＲＰＡ＝Advanced Research Projects Agency

59—DARPA "Where the Future Becomes Now" https://www.darpa.mil/about-us/darpa-history-and-timeline

60—"The Internet's First Message Sent From UCLA" University of California, Los Angeles https://100.ucla.edu/timeline/the-internets-first-message-sent-from-ucla

61—アニー・ジェイコブセン、加藤万里子訳『ペンタゴンの頭脳 世界を動かす軍事科学機関DARPA』太田出版、２０１７年、pp294-297.

DARPAというイノベーション手法

ＤＡＲＰＡはその成果を軍事技術に転用することを目的とした政府系機関であるがゆえに、以前は日本の省庁や研究機関では誤解を恐れて名前を出すのがためらわれる時期もあった。実際に米国国内でＤＡＲＰＡは幾度となく「軍産複合体の中枢」として激しく批判されており、技術の軍事転用を嫌ってＤＡＲＰＡと関わらない科学者も存在する。しかしながら、その輝かしいテクノロジー・イノベーションの裏には何か秘伝が隠されていると考えられ、ある時期からイノベーションを渇望する日本でも霞が関の官庁を中心にＤＡＲＰＡの名前が聞かれるようになった。

米国ヴァージニア州アーリントンにあるＤＡＲＰＡは、マッドサイエンティストのような研究員が長年にわたって所属するような研究所ではない。ＤＡＲＰＡそのものは研究を行わない、プログラムへの資金提供機関である。特徴的なのは、大学や産業界から参画した研究者たちが国家の軍事に関わる研究開発プログラムに3〜5年間従事する、期間限定プロジェクトという枠組みだ。

プログラムは約２５０あり、プログラムを監督する責任と大きな権限を持つプログラムマ

62—DARPA "About DARPA" https://www.darpa.mil/about-us/about-darpa

ネージャー（PM）が100人近くいる。PMの大半は一流の科学者であり、3〜5年の期間限定雇用となっている。PMを含む職員は約220人、政府の予算としては約3400億円[63]が計上されている。DARPAで革新的な研究に関わりたいと考える研究者は、DARPAから資金提供を受けた組織でPMの監督の下、研究を行うこととなる。

DARPAでGPSやロボティクスなどの革新的なイノベーションが生まれる理由はそのソフトウエア・スタートアップ的形態にある。数年という期間でPMに独裁的に権限と資金を集中させ、終身雇用などとは程遠い。研究仮説と検証結果から期待されるパラダイムシフトは、研究提案においては精査されるが、一旦プログラムがスタートしたらPMには高い自由度が与えられる。PMは法務、財務、人事、コミュニケーションの専門家とも連携しつつプロジェクトを遂行する。

DARPAのPMはその「高い自由度」の中で、異なる領域の研究者の知見を探索し、統合していくことが許され、かつそれを求められている。DARPAのPMは「世界の何かを変えたい」というビジョンを持った野心家であり、年間のプログラム予算にして10億円程度と4年間という時間を与えられている（自身はプロデューサーに徹しており、研究者ではない）。

デジタルテクノロジーの震源地ともいえるDARPAの形態が現在のソフトウエア開発、

63 —DARPA, The FY2019 enacted budget was $3.427 billion. https://www.darpa.mil/about-us/budget

スタートアップ企業に近いことは技術革新の確率を高める手法として示唆に富むだろう。
また、ＤＡＲＰＡでは「チャレンジプログラム」という特定の課題解決を自由な手法で行う賞金コンテストを開催している。たとえば、ロボットに関する「ロボティクスチャレンジ」や自動走行に関する「グランドチャレンジ」などだ。２０１３年には東京大学発ベンチャーのシャフト社がロボティクスチャレンジの予選で1位となり、直前にアルファベット社（グーグル）に買収されたことが話題となった（２０１８年にシャフト社は解散）。ＤＡＲＰＡによる「チャレンジ」は様々なコンテストで、ルール設定などの参考にされている。

ワールドワイドウェブとブラウザの誕生

ＤＡＲＰＡが関わったテクノロジーの中でもっとも世界にインパクトを与えたものがインターネットであることに異論はないだろう。今日のデジタルテクノロジーの基盤ともいえるインターネットがどのように政府によって創られ、民間の起業家によって産業化されていったか、そして人々はそれをどのように受け入れていったのかを振り返ってみたい。

先述のようにインターネットは、１９８２年にＴＣＰ／ＩＰが標準化されたネットワークとして姿を現した。映画「ウォー・ゲーム」はちょうどその翌年に公開されてヒット作品となり、ネットワークで接続された世界や、マシンが人間のように振る舞うサイバー空間を予見させた。当初、米国の大学などの研究機関や防衛関連機関のものであったインターネットは、1990年代に入ってから徐々に商用化されていった。

1989年にティム・バーナーズ・リー（Tim Berners-Lee）がスイス・ジュネーブにある欧州原子核研究機構（CERN）[64]の同僚たちと共にワールドワイドウェブ（WWW＝World Wide Web）を立ち上げた。

1991年には米国国立科学財団（NSF）[65]の学術目的利用のネットワークだったNSFNETが最初の全米バックボーン[66]となった。その速度はたったの45Mbpsであった。2年後の1993年には世界で初めて文字と画像を同時に表示することを可能にしたインターネットブラウザであるモザイク（Mosaic）が、NSFに支援されたイリノイ大学の国立スーパーコンピュータ応用研究所（NCSA）[67]からリリースされた。

モザイクを開発したNCSAには当時、20歳だったマーク・アンドリーセンが開発者として在籍していた。アンドリーセンはその後、新しいブラウザであるネットスケープを開発し、現在ではベンチャーキャピタルであるアンドリーセン・ホロウィッツ（Andreessen Horowitz　通称a16z）を経営している。ブラウザであるネットスケープ・ナビゲーターは日本ではインターネットマガジン付属CD－ROMとして書店で売られていた。2009年設立

64—CERN＝European Organization for Nuclear Research

65—NSF＝National Science Foundation

66—バックボーンはインターネットの主要回線、大容量の基幹回線を指す

67—NCSA＝National Center for Supercomputing Applications,National Science Foundation, "A Brief History of NSF and the Internet", August 13, 2003. https://www.nsf.gov/news/news_summ.jsp?cntn_id=103050

のアンドリーセン・ホロウィッツは、2020年には後発ながらベンチャーキャピタル（VC）の年間ランキングである「Forbes The Midas List」[68]のトップ10に入るまでとなった。「Midas」は手に触れるものを金に換える力を持つ王のことである。

ワールドワイドウェブとブラウザが出現したことで、その後30年にわたって進化し社会を変えることになるインターネットの素地が整った。1998年設立のグーグルに先駆けて1994年、スタンフォード大学に在籍していたジェリー・ヤン（Jerry Yang）とデイビッド・ファイロ（David Filo）がYahoo！を立ち上げた。立ち上げ当初のサイト名は「Jerry and David's Guide to the World Wide Web」であった。[69] 日本のヤフー株式会社は1996年1月に設立されている。[70]

インターネットで世界旅行を

1990年代後半、ワールドワイドウェブとブラウザの誕生とPCの普及により、一般社会においてもインターネットというデジタルテクノロジーの認知が進んでいった。

当時はインターネットに触れたことの無い人々に対し、メディアが「インターネットを使えば世界中を自宅で旅することができる」といった形で喧伝していたため、中にはドラえも

68―Forbes, "The Midas List: 2020" https://www.forbes.com/midas/

69―History-Computer.com, "Yahoo History" https://history-computer.com/Internet/Conquering/Yahoo.html

70―ヤフー株式会社「ヤフーの歴史」 https://about.yahoo.co.jp/info/history/

んの「どこでもドア」を想像する人間さえいた。

総務省の平成13年版 情報通信白書によれば、2000年における日本の15歳以上79歳以下の個人におけるインターネット利用者数は4708万人、世界のインターネット利用者数は約4億7100万人と推計されており（当時の世界人口は約61億人）[71]、人口に対するインターネット普及率はスウェーデン、米国、ノルウェー、アイスランドの4ヵ国のみが50％を超えていた。

1999年から2000年には米国のインターネット関連銘柄が、その技術やビジネスモデルの信ぴょう性が薄くとも次々とIPO（株式公開）を果たす「ドットコムバブル」に沸いていた。私は当時、米系証券会社で米国株式を扱っていたが、トレーディングルームのデスクの脇にはIPOのための米国テクノロジー企業の目論見書が高々と積み上げられていたのを覚えている。

テクノロジー関連株式が多く上場する当時のナスダック総合指数は2000年3月に4900ポイント台を記録したが、2001年9月には1400ポイント台まで暴落した。当時の米国では大学生やMBAの学生たちがこぞってインターネット事業で起業をし、VCの中にはほとんどデューデリジェンス（投資前の対象会社の調査）を行わないものさえあり、競うよ

71—総務省統計局
https://www.stat.go.jp/data/kokusei/2000/topics/topics01.html

うに資金提供を行う環境だった。

株式市場の崩壊と共にドットコムバブルは終わったが、2001年に経営破綻したナスダック上場のWebvanのように、次の時代を予見しつつ消えていった企業もあった。Webvanはいわゆるネットスーパーであり、食材や日用品のオンライン小売だった。当時は未熟なロジスティクス環境もあり、資金ショートすることとなったが、その後にはアマゾンなど同様の事業を確立する企業が現れることとなる。米国ではドットコムバブル崩壊の経験を経てその後のデジタルテクノロジー企業が生まれていった。たとえばフェイスブックの設立はバブル崩壊後の2004年、ツイッターの設立は2006年である。

ネットの時代を予見できなかった日本の大企業

1990年代後半のインターネットの確立と2000年前後のドットコムバブルを米国が経験するなか、かつて半導体技術で世界を席巻した日本は何をしていたのだろうか。

1980年代にPCのソフトウエアの流通事業（量販店への卸売り）を行っていたソフトバンクは、1996年に米国ヤフーとの共同出資で日本のヤフー株式会社を設立している。[72] ソフトバンクが初期の事業として、紙の箱で包装されたソフトウエアを仕入れて量販店に卸していたのは、当時のネットワークの回線速度ではソフトウエアのダウンロードによる販売が

72—ソフトバンクグループ株式会社「ソフトバンクグループの歩み」https://group.softbank/philosophy/history

難しかったからだ。

一時期は半導体産業において米国に脅威を与えた技術立国の日本が、なぜインターネット産業の勃興のなかでその中心となれなかったのか。日本の大企業がインターネットに触れた当時の雰囲気を描写することで解き明かしたい。

インターネットが家庭に入り始めた頃は有線の電話回線を使ったダイヤルアップ接続が使われており、ネットワークが不安定で遅かったためにテキストによるコミュニケーションが主流であった。インターネットのアーリーアダプター（初期に利用を始めたユーザ）は1980年代のパソコン通信から移行したユーザも多く、企業から見ると一部のマニア向けの世界という印象があった。しかし、パソコン通信は特定のホストコンピュータと特定のユーザ（サービス会員）だけがコミュニケーションするクローズドネットワークであったため、その思想と構成はオープンネットワークまたは「ネットワークのネットワーク」であるインターネットとは大きく異なっていた。

オープンなネットワークであることも企業にとっては不安材料だった。PCは完結したローカルエリアネットワーク（LAN）を越えてルータを介しインターネットに接続する。このオープン性と不安定さを目の当たりにした上で、2020年代の通信デバイス（スマートフォンと呼ぶ）を身に着け高速「無線」回線に人々が常時接続する状況を思い描くのは少し難しかったかもしれない。たとえば私は2000年代初頭、電機業界とそれを所管する官庁の人々が集まった研究会で、「テレビでインターネットが見られてしまったら、そこから先のコンテンツやセキュリティに責任を持てない」という議論を誰もが真面目にしていたことを鮮明に覚えている。当時のインターネットは、ネットフリックスなどの動画配信サービスが違和感なく受け入れられる現在と大きく異なり、不健全な無法地帯というイメージがかなり残っていたのだ。テレビがインターネットに接続する際には、「ここからはインターネットであり、（何でもありの無法地帯には）メーカーとしては何の責任も取れないという通知が必要だろう」、「テレビだと思って見ていたのに、知らないうちにインターネットに入っていたら、それは非常に危険だ」と言う者さえいた。また、まだ不安定なネットワークが途切れることもテレビメーカーの責任問題になるだろうという声が聞かれた。

テレビという定型化された電子機器、地上波テレビ局の電波利用料と広告収入の差額による高利益率という成熟したビジネスモデル[73]に対し、リッチなコンテンツを扱うにはまだ不安定で速度も遅いインターネットは未熟そのものだった。電機業界にはイノベーションのジレンマが立ちはだかっていたのだ。

時代を少し進めると、2005年にはインターネット関連企業のライブドアがフジテレビの筆頭株主だったニッポン放送を買収し、フジテレビの経営権を奪取しようと試みた。私は

73—地上波テレビ局は、インターネット事業者と異なり、電波や放送を主管する総務省の許認可が必要な免許制事業である。許認可事業のため新規参入がなく、電波利用料と広告収入の差額が継続的な利益となっている

ライブドア側で買収実務を担当していたが、一般的には「放送とインターネットの融合は可能か」という内容が耳目を集めたことを覚えている。インターネットがテレビのあり方を変えるのではなく、あくまでテレビの培ってきたメディアパワーを新興インターネット企業が欲しているという構図として一般には受け止められた。

当時、ライブドアはポータルサイト事業で他社と競合しており、まだあまり存在しなかった「続きはネットで」というネットコンテンツへの誘導や、テレビで検索ワードやURLを表示し続けることを企図していた。一方でテレビ業界からは、それは放送とインターネットの融合というものではない、稚拙なネットへの誘導であるとの声が聞かれた。

「放送とネットの融合」の将来像がインターネット業界にもテレビ業界にも見えないなか、インターネットユーザたちはテレビをマスに対するアジェンダセッティング装置として活用し、ネットと融合していった。テレビ番組を「お題」として見ながらツイッターに連続投稿することはその一例だ。現在ではテレビとネットの境目は消え、一つのスクリーンでコンテンツを見ながら、同時に誰かとコミュニケーションを行うことは珍しくなくなった。

世界初のEメールの受信から50年が経ち、2020年代の人々はビールを片手にネットフリックスで作品を見ながらZoomで友人と会話をする世界にいる。日本の電機業界、テレビ業界はその成熟した業界構造を最終形だと考えていた。しかしながら、かつて映画業界を新興のテレビ業界が制したように、インターネットはテレビを侵食していった。その現象は世界中で起こり、その中心にデジタルプラットフォーマーが陣取ることとなったのだ。

ベンチャーキャピタルという資金提供者

テクノロジーがどのように生まれ社会に浸透していくかを考える上では、資金提供のエコシステムが重要となる。DARPAのような政府系機関や、大学の研究で萌芽が見えた技術に資金を提供するVCという存在は、現代のテクノロジー企業の成長に寄与してきた。

VCは、資金を運用するジェネラル・パートナー（GP）となり、投資家（法人、個人。リミテッド・パートナー〈LP〉と呼ばれる）から資金を集めて資金プールであるファンドを組成し、そのファンドから投資を行う。

VCは非上場会社の成長の各段階において、資金提供を行う代わりに株式を受け取る。これは銀行などが、土地などを担保に融資（貸付）を行い、金利を得る行為とは異なる。株式は元本が保証されず、会社の業績によってはゼロになる可能性がある一方で、企業が成長すれば価値が増す。また、株式に議決権が付されている場合は会社経営に影響を与えることができる。

VCは取得した株式を株式市場に上場し売却するか、他社に売却することによって、取得した時点の株価と、売却した時点の株価の差額により株式売却益を得る。

創業まもなくまだ株式価値が小さいスタートアップ企業にＶＣが投資し成功すれば、その投資リターンは大きい。だが、スタートアップ企業は多産多死の世界であり、多くは収益化せずに消えていく。よって、投資対象の未公開株式という資産クラスはハイリスク・ハイリターンの類型に入る。ただし、そうしたリスクを取るＶＣの存在は、新しい技術を事業化する原動力ともなっている。

現在のＶＣの原型をつくったのは１９４６年にAmerican Research and Development Corp.（ＡＲＤ）[74]を設立したジョルジュ・Ｆ・ドリオ（Georges F. Doriot）だとされる。ドリオは米国に帰化したフランス人であり、ハーバードビジネススクールの教授、副学部長だった。第二次世界大戦では米国陸軍准将だったため、「将軍」と呼ばれることもあった。

ドリオは「ＶＣビジネスとは短期的な利益を求めるのではなく、長期的に新たなテクノロジーとスタートアップの成功を助けるために、良いアイデアを持った起業家を支援することだ」と述べている。[75]ドリオはその後の世代で、米国を代表するＶＣであるクライナー・パーキンス・コーフィールド・アンド・バイヤーズ（ＫＰＣＢ＝Kleiner Perkins Caufield & Byers）の共同創業者であるトーマス・パーキンス（Thomas Perkins）をハーバードで教えている。[76]

１９７２年にトーマス・パーキンスらが設立したＫＰＣＢは黎明期に、スタンフォードの

74—ＡＲＤはデジタルエクイップメントコーポレーション（Digital Equipment Corp. 通称DEC）に投資を行い、DECは米国を代表するコンピュータメーカーの一つとなり、1998年にDECをコンパックが買収。そしてコンパックは2001年にヒューレット・パッカードに買収されている

75—Pazzanese,Christina, "The talented Georges Doriot" The Harvard Gazette, February 24, 2015. https://news.harvard.edu/gazette/story/2015/02/the-talented-georges-doriot/

76—"Venture Capital Pioneer Tom Perkins Talks About His Mentors" Intelligent Fanatics, November 1, 2017. https://community.intelligentfanatics.com/t/venture-capital-pioneer-tom-perkins-talks-about-his-mentors/317

研究者たちが設立した遺伝子組み換え技術を持つジェネンテック（Genentech）や半導体製造装置メーカーのアプライドマテリアルズ（Applied Materials）に投資を行った。米国にてＫＰＣＢと双璧を成すＶＣに、同じく１９７２年に設立されたセコイアキャピタル（Sequoia Capital）がある。ＫＰＣＢとセコイアキャピタルは現在の巨大テクノロジー企業が自宅のガレージで開発をしていた立ち上げ時期に投資を行っている。

ＫＰＣＢはネットスケープ、アマゾン、グーグル、ツイッター、フェイスブック、Ｕｂｅｒなどに[77]、セコイアキャピタルはアップル、グーグル、オラクル、ペイパル、ヤフー、ユーチューブ、Ａｉｒｂｎｂ、インスタグラムなどにそれぞれ投資をしている[78]。セコイアキャピタルの投資したベンチャー企業の時価総額は、株式市場の動向にもよるが、合計して１・４兆ドル（約１４０兆円）。米国ナスダック市場の22％を占めると報道されたこともある[79]。２０２０年のトヨタの時価総額が日本最大の約22兆円であることを考えると、セコイアキャピタルの投資したベンチャー企業は、時価総額だけ見れば、トヨタを6つほど創り出したことになる。米国のデジタルテクノロジー企業を創り出すことにＶＣが寄与したことにはおそらく異論がないだろう。まったくもって完璧ではない（しかし代案もない）のが資本主義というシステムだが、そこで米国ＶＣの果たした役割は大きいと言える。

77—Kleiner Perkins https://www.kleinerperkins.com/our-history

78—Sequoia Capital https://www.sequoiacap.com/companies/

79—Anders, George, "Inside Sequoia Capital: Silicon Valley's Innovation Factory" Forbes, April 14, 2014. https://www.forbes.com/sites/georgeanders/2014/03/26/inside-sequoia-capital-silicon-valleys-innovation-factory/#3dae8563a82

１９９8年にビル・ゲイツが恐れたもの

２０００年代以降の巨大なデジタルテクノロジー企業を創り出してきたＫＰＣＢとセコイアキャピタルであるが、その両社が１９９９年6月、設立から1年も経っていない企業に２５００万ドル（約30億円）を投資した。それこそが、１９９８年9月設立のグーグルである。[80]

同年、ニューヨーカー誌の記者が、ＰＣ時代に興隆を極めていたマイクロソフトＣＥＯのビル・ゲイツに、インタビューで「もっとも恐れている競合はどこか？」と尋ねたが、ビル・ゲイツは「どこかのガレージでまったく新しいものを考えている誰かを恐れている」と答えた。[81] その懸念は当たっていた。

グーグルはスタンフォード大学のコンピュータサイエンスの博士課程に在籍中だったラリー・ペイジとセルゲイ・ブリンによってガレージで起業された。[82] セルゲイ・ブリンはロシア生まれで6歳のときに家族と共に米国にやってきた移民である。当時のグーグルの技術の中心はウエブページの重要度をランク付けするアルゴリズムだった。多くのウエブページからリンクが張られているページの方が重要度が高いというコンセプトに基づき「ページランク（PageRank）」と呼ばれた。[83] この「Ｐａｇｅ」はラリー・ペイジの名前ともかけている。

グーグルは「世界の情報を整理し、世界中の人々がアクセスできて使えるようにする」こ

80—Google "Google Receives $25 Million in Equity Funding" http://googlepress.blogspot.com/1999/06/google-receives-25-million-in-equity.html

81—Auletta, Ken, *Googled: The End of the World As We Know It, 2009,* Penguin Books

82—Google, From the garage to the Googleplex https://about.google/intl/en/our-story/

83—Brin, Sergey and Page, Lawrence, "The Anatomy of a Large-Scale Hypertextual Web Search Engine" 2.1.1 Description of PageRank Calculation http://infolab.stanford.edu/~backrub/google.html

学生起業家が創業したグーグルは今や12万人の社員を抱え世界中に拠点を持つ。写真はニューヨーク

とを標榜している。[84] このページランクの特許はグーグルではなくスタンフォード大学に帰属しており、スタンフォード大学はグーグルへの特許使用の対価としてグーグル株式を得ている。２００５年にはグーグル株式の売却によってスタンフォード大学は３億３６００万ドル（約４００億円）を得た。[85]

グーグルの例は、起業家が大学での研究を用い、巨額のＶＣの資金を得て事業化に成功したケースである。インターネット黎明期から巨大デジタルテクノロジー企業の成立には、インターネットの基礎を創り出したＤＡＲＰＡのような政府機関、起業家が技術を学んだ大学、資金提供のリスクをとったＶＣといったプレイヤーが関わり、一種の生態系がつくられていた。

84—Google https://about.google/intl/en/

85—Krieger, Lisa M, "Stanford Earns $336 Million Off Google Stock" San Jose Mercury News, December 1, 2005. https://www.redorbit.com/news/education/318480/stanford_earns_336_million_off_google_stock/

翻って日本に目を向けてみる。半導体競争において米国により弱体化されたが、依然として世界第2位のGDP規模の日本で、なぜ同様の仕組みによって、デジタルテクノロジー企業を輩出できなかったのだろうか。いくつもの要因が考えられるが、起業家精神という文化的なものは考慮せずに、新しい研究を行う研究者の扱いや資金提供の観点から考えてみたい。

ここに興味深い一事例を紹介する。人工知能研究者の松尾豊東京大学大学院工学系研究科教授は、著書の『人工知能は人間を超えるか　ディープラーニングの先にあるもの』の中で、自身が挑んだ数百万円の研究費を獲得するための審査プロセスについて書いている。

2002年当時、松尾は大量のウエブページを分析して言葉の関連性を表すネットワークを大規模に取り出す技術を使って、適切な広告を打つ研究の審査に臨んでいた。その審査での面接において、審査委員からは「広告なんてくだらないものをやるな」、「言葉のネットワークが簡単にできますなどと言うな」などの言葉を投げかけられたという。[86] 検索エンジンとしてスタートしたグーグルの収益化が広告に拠るものであることは、現在から見れば自明だ。検索される言葉に広告的価値が生まれるという発見はイノベーションだったが、松尾が研究として提示したものは理解されなかった。この出来事は、30億円の投資を受けた設立1年目のグーグルと、数百万円の研究費の獲得に苦労する日本の研究者の環境の違いを際立

86―松尾豊『人工知能は人間を超えるか ディープラーニングの先にあるもの』KADOKAWA、2015年

たせている。

次に資金提供の観点で日米を比べれば、当時の両国の直接金融と間接金融の割合は異なっている。従来、日本の企業は間接金融（借入、大部分は銀行融資）に依存しており、米国は直接金融（大部分は株式での資金調達）の割合が多かった。

2001年度の日本の非金融法人企業の借入比率は38・7％、株式・出資金及び債券等の比率は40・8％、米国では借入が14・1％、株式・出資金及び債券等の比率は65・8％となっている。[87] 当時の日本企業はエクイティ・ファイナンス（株式による資金調達）ではなく、米国の倍以上の間接金融依存、つまり借入を行っていたのである。エクイティと融資（借入）の差異としては、エクイティはゼロになる可能性があるリスクマネーである一方、融資は元本の返済を前提としている。ベンチャーキャピタルは、投資額が数十、数百倍にも、ゼロにもなりえる可能性のあるゲームをしている。

1999年～2000年、米国ではドットコムバブルとも呼ばれたインターネット関連企業への株式投資ブームが起こっていた。非上場のベンチャー企業に株式投資を行うベンチャーキャピタルの日米欧の比較では、2000年時点では、ベンチャーキャピタルによる年間投資額は米国が12・7兆円、欧州が4・5兆円、日本は2300億円だった。[88]

日米の金融文化の差も両国の直接金融、間接金融の割合には影響を与えている。バンカー（銀行家）という言葉は、従来の日本では担保を重視する融資業務を中心とした商業銀行のこ

87―内閣府「平成14年度　年次財政経済報告書」p217.

88―一般財団法人ベンチャーエンタープライズセンター「ベンチャーキャピタル投資動向調査」2002年、p28.

とを指し、米国では法人向け証券業務を営む投資銀行のことを指す。投資銀行の伝統的業務は融資ではなく、企業の資本市場での資金調達、つまり債券や株式の引受や合併買収（M&A）である。日本では永らく融資を担う銀行が産業界に影響力を持っていた。日本の金融界での銀行と証券の序列では、銀行が格上であり、銀行グループにおいても証券は子会社であった。一方で米国では2000年代に入って投資銀行が自己勘定での投資・トレーディングといった業務に傾注するまでは、直接金融の担い手として資本市場へのアクセスを企業に提供していた投資銀行のほうが、商業銀行よりも企業に対して影響力を持っていたのだった。

起業家、ベンチャーキャピタル、経営人材というモデル

1998年に設立されたグーグルは2004年8月に230億ドルという時価総額（約2・3兆円）で株式上場（IPO）をした[89]。株式上場に先駆けて、28歳の研究者だったラリー・ペイジとセルゲイ・ブリンは2001年にグーグルのCEOとして46歳のエリック・シュミットを採用している。

シュミットは14年間、サン・マイクロシステムズに在籍し、Javaの事業化を手掛けた人間であり、その後はノベル（Novell）を経営していた。KPCBのベンチャーキャピ

89—Wilhelm, Alex, "A look back in IPO: Google, the profit machine", TechCrunch, August 1, 2017. https://techcrunch.com/2017/07/31/a-look-back-in-ipo-google-the-profit-machine/

タリストであるジョン・ドーアから紹介を受けたシュミットはペイジとブリンの面接を受けにグーグルを訪れた。この時の面接でペイジとブリンは46歳の経験豊富な技術者であり経営者だったシュミットに対し、ノベルでやっていることは「バカ（foolish）で、意味が無い」とこき下ろしている。しかしながら、グーグル創業者との会話を楽しんだと感じたシュミットはグーグルに参画することを決めた。[90] 優秀かつ野心的な研究者だったペイジとブリンだが、企業経営の経験は無かった。グーグルの企業としての成功を築いたのは、ペイジとブリンに敬意を払いつつ、自身のマネジメント経験を活かしたシュミットであった。

東西冷戦時代の脅威が創り出したＤＡＲＰＡは、インターネットや様々なデジタルテクノロジーのコンセプトを生み出した。１９９０年代に入ってからは米国クリントン政権下で副大統領のアル・ゴアが主導して全米で高速情報通信ネットワーク環境[91]の整備が進められた。本プロジェクトにおいてもＤＡＲＰＡに対し、光ファイバー技術や通信プロトコルの研究開発支援を行うように要請がされている。

ゴアはその後、環境活動家として２００７年にノーベル平和賞を受賞しているが、それ以前はＮＩＩの功績からＩＴ業界に強い大物政治家のイメージが強く、２００３年にはアップルの取締役に就任している。またアップルでは２００６年～２００９年までシュミットが取締役を務めており、米国ＩＴ業界は「いつものメンバー」がマネジメントを担っている印象

90—Reid Hoffman, Masters of Scale, "Innovation=Managed Chaos, Eric Schmidt, Former CEO of Google",2017. シュミットのインタビューを参照 https://mastersofscale.com/eric-schmidt-innovation-managed-chaos/

91—これは情報スーパーハイウエイ構想（NII）と呼ばれ、その後の米国のインターネットを中心とした産業の発展に概念的に寄与した。NIIはゴアが上院議員時代に提出した「High-Performance Computing Act of 1991, HPC法」が端緒と考えられている S.272-High-Performance Computing Act of 1991, 102nd Congress (1991-1992) https://www.congress.gov/bill/102nd-congress/senate-bill/272 W3C, The National Information Infrastructure (NII) https://www.w3.org/People/howcome/p/telektronikk-4-93/

nii.html

が強い。シュミットはグーグルとアップルの事業領域がブラウザ（クロームとサファリ）、スマートフォン（アンドロイドとｉＰｈｏｎｅ）と重複してきたことにより、利益相反を回避するために２００９年にアップル取締役を辞任している。グーグルとアップルの事業領域が時を経て似たものへと進化したことは興味深い。

ＰＣの一般化、通信ネットワークの高速化を経た１９９０年代、その後半にグーグルは誕生した。日本では１９８９年12月に日経平均が３万８９１５円の市場最高値を記録していた。その後バブル崩壊と呼ばれる１９９１年〜１９９３年の景気後退期を経て、１９９７年には北海道拓殖銀行、山一証券が破綻、１９９８年には日本長期信用銀行が国有化され、日本債券信用銀行が破綻と、１９９０年代後半は日本を金融危機が襲った。日本におけるこの不況と金融危機は新卒学生に就職氷河期をもたらした。絶対に潰れないと言われていた銀行が次々と経営破綻し、新卒学生は就職ができず、就活浪人も生まれた時期であった。遠く米国ではラリー・ペイジとセルゲイ・ブリンがガレージで「ページランク」のアルゴリズムを検証していた頃である。

２０００年以降のデジタルテクノロジー企業の台頭の要因は一概に定型化できるものではないが、いくつかその背景を抽出してみたい。デジタルテクノロジー企業の苗床は、コ

米国の大学の強みは世界中から最高の頭脳を集められることである。写真はMIT Media Lab

ンピュータと通信ネットワークが高速化し、WWW（World Wide Web）が拡大する1990年代につくられた。グーグルを見れば、一流大学のコンピュータサイエンス研究者出身の起業家（ペイジ、ブリン）、リスクを取って巨額の資金提供をしたVC投資家（KPCB、セコイアキャピタル）、若き起業家に賭けた経験豊富な経営者（シュミット）の存在を欠くことはできなかった。2000年のITバブルを経て20年、米国のデジタルテクノロジー企業の成功モデルは世界中でテンプレート（雛形）となった。

米国の成功モデルについて考えたい。まず世界各国から優秀な頭脳を引きつける大学の存在。そしてそこで学ぶ野心的な若者がベンチャー企業を起業し、それらを選別したＶＣが未公開株に投資をする。ＶＣは投資戦略として、将来性があると自らが考える、または皆が考えているテクノロジーのテーマごとに複数のスタートアップ企業に投資し、その中のどれかが成功すれば10倍、１００倍のリターンを得られる。ＶＣはその人脈ネットワークからマネジメント人材をスタートアップ企業に紹介し、その人材も株式またはストックオプションによって経済的インセンティブを付与される。

当然にこのモデルが常に成功するわけではない。しかしながら、ＫＰＣＢとセコイアキャピタルの投資した企業からツイッター、フェイスブック、Ｕｂｅｒ、ユーチューブ、Ａｉｒｂｎｂ、インスタグラムといったデジタルプラットフォーマーが生まれたことは事実である。そしてそれらのデジタルテクノロジー企業は２０００年代に入って、既存の産業構造を変えていった。今では米国の国防産業側が「実験的国防革新ユニット（ＤＩＵｘ）[92]」を立ち上げ、スタートアップ企業の技術を国防技術へ移転することを促すなど、シリコンバレーとの協力関係を強化するまでになっている。[93]

グーグルが生まれた１９９８年、先述のように日本では日本長期信用銀行が国有化、日本債券信用銀行が破綻した。同年の東京大学の就職先上位5社（民間）は、ＮＴＴ、ＮＨＫ、東京三菱銀行、日本興業銀行、住友銀行だった。[94] 大手銀行が破綻する中で、日本のトップ大学の学生は米国とは異なり既存のエスタブリッシュメント企業に職を求めていたことが窺

92—ＤＩＵｘ＝Defense Innovation Unit Experimental

93—齋藤孝祐「米国のサードオフセット戦略 その歴史的文脈と課題」『外交』Vol.40 November. 2016 p85.

94—吉川翔大、編集者：田中裕子、調査協力：松永年志規「人気企業、20年前からの変化は?」就活生新聞 by ONE CAREER、２０２０年3月1日 抜粋 https://www.onecareer.jp/lp/shukatsusei_shimbun/009/

イスラエルはソフトウエアイノベーションの中心となっている。写真はイスラエルのテルアビブ

えよう。

米国で生まれた起業家とVCの組み合わせは各国に伝播していった。1990年代にイスラエルでは政府がVCへの投資プログラム（ヨズマ・プログラム）[95]を開始し、現在ではイノベーション立国として注目される。イスラエルのテルアビブで年配の元軍人は私に向かってこう言った。

「自分の子供が優秀だったら就職なんてさせない、兵役の後は起業させてその会社をアメリカ人に1億ドル（約110億円）で買ってもらうのさ」

プラットフォーマーに編集された日本

日本のインターネットの歴史を振り返れ

95—ヨズマ・プログラムは、イスラエル政府によってファンドが組成され、約100億円が、民間VCとの連携によりスタートアップに提供されたプログラム。これをシードマネーとしてスタートアップのエコシステムが芽生えたば、イノベーションの萌芽だったと思えるものはいくつも存在した。ネットフリックスが動画配信を開始した2007年、アップルは米国で初代iPhoneを発売した。その10年以上前、1996年にパイオニアは現在のスマートフォンを彷彿とさせる全面液晶タッチパネルの携帯電話であるDP-212を発売している。

アップルはApp Storeによってサードパーティが開発するアプリを審査し手数料を徴収するプラットフォーム型のビジネスモデルを確立したが、このビジネスモデルでは1999年2月にNTTドコモが開始した携帯電話を利用した世界初のIP接続サービスであるiモードが先行していた。iモードは着信メロディや壁紙などのコンテンツのダウンロード、課金システムなどをすでに運用していたのである。2000年にはJフォン（現在のソフトバンクモバイル）によって携帯電話のカメラで撮影した画像をメールの添付ファイルとして送ることが可能になり「写メール」と呼ばれた。この写メールにより、画像をユーザ同士が送り合うことが一般に定着していった。後にできた数々のアプリを見れば、画像送信は大きなイノベーションであった。

タッチパネル携帯電話、コンテンツのダウンロードと課金システム、カメラ付き携帯電話、画像の送受信など、後のiPhoneやアンドロイド・スマートフォンを構成する要素が日本で次々と生まれたのが1990年代後半から2000年であった。日本で生まれたテクノロジーをアップルやグーグルはハードとサービスを統合しつつ編集、再構成したとも見えなくはない。ここで電機業界は、ハードからアップルのｉＴｕｎｅｓのようにプラットフォームでのコンテンツ課金によるサービス化に向かう岐路を迎えた。後のサブスクリプションビジネスにつながる大きな岐路であった。

ツイッターのサービスがはじまった２００６年、日本では総務省「通信・放送の在り方に関する懇談会　報告書」[96]が出された。そこでは、ユーザ側から見れば「放送」と変わらないインターネット経由の多人数向け動画コンテンツ配信（ＩＰマルチキャスト放送）が著作権法上「通信」と解釈され、権利処理の際に不利に扱われており、改善すべきという問題提起がなされている。日本ではテレビこそがコンテンツの主役であり人々の可処分「時間」を得ていたが、２００７年に米国ではネットフリックスがインターネットを介して一部の映画をユーザに配信するサービスを開始した。ネットフリックスはＤＶＤを郵送で個人宅に送るという地味な事業から、大きな転換を果たしたのだった。

ネットフリックスはその後動画サブスクリプションビジネスのメジャープレイヤーとなり、配信業者の役割を超えてオリジナルコンテンツを配信するというプライベートブランドモデルへと変容していった。

ネットフリックスがまだ日本に本格的に進出する前に、日本のあるドラマ制作会社の経営者が私にこう言ってきたことをよく覚えている。

96―総務省「通信・放送の在り方に関する懇談会　報告書」２００６年6月6日
https://www.soumu.go.jp/main_sosiki/joho_tsusin/policyreports/chousa/tsushin_hosou/pdf/060606_saisyuu.pdf

「ネットフリックスというのが来て、今の3倍のギャラを出すと言ってきた。これは踏み絵だな。これに乗ったら日本の業界では仕事ができなくなる」

その後、コンテンツの作り手側の意識も大きく変わったのだ。

自社と他社のテクノロジーとサービスを統合するオープンイノベーションによってアーキテクチャー(全体設計)をつくること、製造業自らがサービスを手掛けることはデジタルプラットフォーマーになるための必須条件となった。日本の製造業、電機業界はその重要性を理解しつつも、優位性の確立に苦心し続けることとなった。

グーグルがたったの50億円で手に入れたアンドロイド

日本でiPhoneがソフトバンクから発売されたのは2008年だった。翌年の2009年の携帯電話の世界市場シェアでは日系メーカーは富士通3%、シャープ3%、NEC2%、パナソニック2%と上位10社に4社が入っていたが、2年後の2011年にはソニーエリクソン4%の1社のみとなった。

携帯電話通信キャリアに主導された日本の携帯電話メーカーは、2009年から2011年の間に、従来型フィーチャーフォンいわゆる「ガラケー」[97]からスマートフォンへのシフトに出遅れ、携帯電話のバリューチェーンにおいてもっともパワーを持つこととなったOSを

97―ガラケーとは「ガラパゴス携帯」の意味であり、日本独自の機能が進化したスマートフォン以前の携帯電話を広く指す

アップルとグーグルに支配されわずか3年間でシェアを失った。
　２００９年から２０１１年では、携帯電話市場におけるスマートフォンのシェアは14・2%から26・6%へ、グーグルの保有するアンドロイドのシェアは実に4%から46%へと大きく増加した。[98] 世界でもっとも使われることとなったグーグルのアンドロイドＯＳは２００３年に設立されたスタートアップ企業が開発したものだ。グーグルは２００５年に推定50億円（５０００万ドル）で同社を買収した。アンドロイドは設立2年程のスタートアップ企業であり、その金額からして日本の大企業が買えなかったわけではない。しかし、当時の携帯電話メーカーにはＯＳを自社で保有・管理することで、アプリもハードも規定するという決断はできなかった。アンドロイド買収は、グーグル幹部によれば結果的に「今までで最高の買収（Best deal ever）」だったという。[99]
　スマートフォン登場以降は携帯電話事業におけるＯＳをｉＯＳとアンドロイドに支配され、スマートフォンメーカーやアプリ開発会社はＯＳを持つアップルとグーグルによってコントロールされることとなった。これを携帯電話事業における顧客（ユーザ）に対する各プレイヤーのパワーの変遷から見ると理解しやすい。
　ネットワークの回線速度が遅く、接続も不安定な時期は、ユーザは快適につながるネットワークに魅力を感じた。日本の携帯キャリアがいかに回線が安定しているかを競っていたことは記憶に新しいだろう。しかしながら、高速の常時接続が当たり前になると、ネットワー

98—総務省「平成24年版　情報通信白書」 https://www.soumu.go.jp/johotsusintokei/whitepaper/ja/h24/html/nc122110.html

99—Thomas,Owen, "Google exec: Android was "best deal ever"" Venturebeat, October 27, 2010. https://venturebeat.com/2010/10/27/google-exec-android-was-best-deal-ever/

クは差別化要因ではなくなり、ネットワークの提供者はコスト競争に陥っていく。ネットワークがコモディティ化した後にユーザが魅力を感じたのは、iPhoneのような洗練されたデザインのハード、利便性が高く安全で統合されたアンドロイドのグーグルプレイやiOSのApp Storeのようなアプリ（というサービス）が買えるストア、フェイスブックやインスタグラムなどのデジタルプラットフォーマーのアプリなどだった。言い換えれば、ネットワーク、ハード、OS（が規定するストアなど）、アプリがパワーを奪い合っている。このパワーとは、ユーザが何を求めてそれを使うのか、という影響力である。ただし、ユーザによってはネットワークもハードも安ければ良い、とにかくツイッターが使えれば良いというトランプ大統領のような人間もいるだろう。

ユーザから見たネットワーク、ハード、OS、アプリ、加えてクラウドという各レイヤーでパワーは変遷する。デジタルテクノロジー企業にとっては、自社をどこにポジショニングすべきかが論点となる。アップルのように高いマージンを得るハードをメーカーとして設計して受託生産者につくらせ販売する施策もあれば、グーグルのようにサードパーティにアンドロイドOSのスマートフォンを開発させることもある。自社のポジショニング変更には試行錯誤があり、アマゾンでさえ2014年にスマートフォンであるFire Phoneを開発・販売している。しかし、日本の企業にはポジショニング変更の試行錯誤が乏しく、結果としてシェアを失うこととなった。

予想できなかった中国の躍進

スマートフォンが「スマート（賢い）か？」と言われれば、フィーチャーフォンにもスマートなものはあっただろう。結果として革命的だったのは、映像コンテンツの視聴に耐えられる大きさのスクリーンを持ちインターネットに接続された小さなコンピュータを、人々が携帯するようになったことだった。人間は小型コンピュータを常時携帯する最初の生き物となったのだ。

ｉＰｈｏｎｅが登場した２００７年は一つの節目であり、スマートフォンにより人々の社会生活は変わった。スマートフォン登場以前にもＳＮＳはあり、米国の大学の教室では、大学生が講義を聞きながらＰＣを開きフェイスブックを立ち上げていたが、すぐにフェイスブックやインスタグラムのようなアプリを手のひらに携帯することが日常となった。

米国の外に目を向ければ、中国では固定電話が普及しなかった。固定電話の時代を一段飛ばして２０００年代に携帯電話の時代が訪れ、２０１０年代に入って中国製スマートフォンが普及していった。いわゆるリープフロッグ型[100]の発展を遂げた典型的な例が中国である。技術的に後発にある国が、先進国のレガシー（旧来の技術、この場合は固定電話）を飛び越えて、次世代技術を普及させた。安かろう悪かろうと考えられたハードである「中華スマホ」も２

100―リープフロッグ型（Leapfrogging）とは、既存のインフラやそれに関連する法制度がないために、新興国がより早く新しいテクノロジーを取り入れて発展すること

2010年代に中国はデジタルテクノロジーの中心地となった。写真は中国の深圳

010年代に改善が進み、高品質かつ低コスト製品となっていった。別の見方をすれば、スマートフォンはソフトウエアであるOSを支配され、ハードウエアとしては一気にコモディティ化したとも言える。

私は2000年中盤に中国のインターネット企業の買収や中国での事業開発に関わっていた。当時出会った中国の人々はエネルギーに溢れており、ビジネスの相手としても良い印象を持っていた。また、当時はインターネットや携帯電話事業が儲かりそうだから、という理由で昨日まで不動産事業をやっていたような起業家が参入してくることもよくあった。「裕福になるための次の商売」としてのインターネットが勃興する時期であり、中国のウェブサイトには違法アップロードが溢れていた。今から思えば、社会的意義というよりむしろ「とにかく豊かになりたい」というハングリーな起業家の多産多死が、テンセントや後のスマートフォンメーカーであるシャオミ（小米科技、2010年設立）をつくったのだろう。そして、何よりも「共産党と共に起業しよう（跟党一起創業）」[101]という国策としての強い後押しがあった（たとえば「衆創空間」というイノベーション施設がつくられ、政府から資金援助がなされた）。ただし、当時の中国を見て2000年中盤に、テンセント（時価総額64兆円）、アリババ（時価総額63兆円）、バイドゥ（時価総額4・5兆円）[102]がここまで大きくなると予想した日本人はほとんどいなかったように思う。

101―中国深圳のテンセント近くにある立方体のモニュメントには「跟党一起創業　FOLLOW OUR PARTY START YOUR BUSINESS」と刻まれている

102―各社時価総額は2020年6月時点

特に、テンセントへの投資については日本企業も投資銀行を通じてコンタクトがあったが、ゲーム会社だと思われていた同社が2011年にWeChat（微信）を開始して、その後に社会インフラとなっていく様子は当時、想像し難いものだった。今振り返れば、テンセントがLINEのようにコミュニケーションを梃に決済を握り、プラットフォーマーとなったことは自然な成り行きに見える。後年、テンセントの幹部の話を聞いたが「我々はすべてにおいて正しく判断して成長した」と自信に満ち溢れた様子だった。「ただ、歳だけは取ったが」と冗談っぽく笑っていたことが印象に残っている。中国スタートアップの可能性を信じ、2000年の創業まもないアリババに20億円を出資したソフトバンクの孫正義社長は後年、アリババの投資リターンに助けられることとなった。

余談ではあるが、2000年初頭、日本のインターネットコンテンツとして中国発の人型二足歩行ロボット「先行者」が流行っていた。あまりに先端技術から遠い「先行者」のコミカルな姿を見た日本のインターネット関係者たちは、その後の中国の技術躍進を信じられなかったのではないかとやや思うところがある。2020年代の中国は進化を止めない未来都市であり、デジタルトランスフォーメーションの最先端実験場となっている。

コンピュータはスマートフォンとなり屋外に連れ出された。フィーチャーフォンでもすでに搭載されていたGPS機能を利用した位置情報アプリも数多くつくられ、人々の現実世界での行動が捕捉されるようになった。個人の位置情報によって、現実世界とサイバー空間は接続された。2009年にはレストランなど特定の場所に「チェックイン」できるアプリであるFoursquareが米国の都市でサービスを開始している。Uberのようなライドヘリング・サービス、ポケモンGOのようなゲームでも位置情報は重要な要素だ。現在、新型コロナウイルスのような感染症が起きた際の感染者追跡にユーザの位置情報（技術としてはGPS、WiFi、ブルートゥースなど）の利用が試みられているのは、当然の流れといえる。

2000年代前半にはいつでもどこでもネットにつながる「ユビキタス社会」が将来像として描かれていた。「ユビキタス」はラテン語の「（神は）遍在する」の意味である。2010年代になると世界中の人々がスマートフォンを神からの護符のように身に着けることとなった。

ネットワークのネットワーク、コミュニティのコミュニティ

インターネット、そしてネットワーク、ハード、OS、アプリが統合されたテクノロジーであるスマートフォンが、これ程までに社会的影響力を持つようになったのは、人々のコミュニケーションに関わるものだったからだろう。インターネット自体は分散したオープンな「ネットワークのネットワーク」である。そして今日、大きな力を持つに至ったソーシャ

ルメディアは分散した個人が接点となる「コミュニティのコミュニティ」だ。そこでは「高校時代のクラスメイト(というコミュニティ)」と「最近通い始めた料理教室(というコミュニティ)」は個人を介して接続され、フェイスブックのようなアプリ上で関係性が可視化される。

古くから知られた「Six Degrees of Separation(6次の隔たり)」と呼ばれる仮説、つまり「友人の友人を辿れば、6ステップ内で世界中の人間とつながることができる」という仮説はテクノロジーによってほぼ正しいということが証明されている。[103]

インターネットは1対1でも1対マスでも成立するコミュニケーションであり、メディアである。ユーザ数の増加と共に価値も増大し、デジタルプラットフォーマーはネットワーク効果[104]を享受している。

2000年から2020年までの20年間、社会はインターネットの進化と共にあった。2000年代初頭、誰もがアクセスできるインターネットは個人にパワーを与えた。個人が一瞬にしてメディアになれる可能性をつくり出したのだ。インターネットは個人に主権を取り戻し、リベラルな民主主義を支える武器になるとも考えられた。国家を越え、国境を越えた人々は、同じ志を持つ世界市民と6ステップ内でつながるかにも見えた。ガレージから生まれたグーグルが持株会社アルファベットに移行する以前、非公式ポリシーとして「邪悪になるな(Don't Be Evil)」を唱えていたのは、将来手にするだろう巨大なパワーによって世界が良くも悪くもなることを予見していたからかもしれない。

103—Smith,David,"Proof! Just six degrees of separation between us", The Guardian, August 3, 2008. https://www.theguardian.com/technology/2008/aug/03/internet.email

104—ネットワーク効果とは、直接的ネットワーク効果として利用者の数が増大するほど利用者の効用が増す効果。たとえば電話のような例と、間接的ネットワーク効果として製品やサービスが補完的に利用者の効用を増すOSとアプリのような2種類が存在する

２００７年の年明け、タートルネックにジーンズの男が壇上から世界にｉＰｈｏｎｅを紹介し、人々は手のひらに新しいパワーを感じていた。そのわずか数ヵ月後、まだ肌寒いヨーロッパのバルト地域で、人口１３０万人の電子立国であるエストニアは世界初と言われる国家に対する大規模なサイバー攻撃を受けていた。22日間にわたったあらゆる種類の攻撃により、ネットワークに接続されたエストニアの政府機関、銀行、メディアなどが制御不能に陥り麻痺した。[105] 映画「ウォー・ゲーム」から24年後、新しい世界の幕開けだった。

105—Ottis,Rain, NATO CCDCOE (Cooperative Cyber Defence Centre of Excellence), "Analysis of the 2007 Cyber Attacks Against Estonia from the Information Warfare Perspective"

第2章

ハイブリッド戦争とサイバー攻撃

〈特典〉
専門家・識者が
各章を詳しく解説!
NewsPicks
アプリで無料で見る

もしスウェーデンが他国から攻撃された場合、我々は絶対に降伏しない。抵抗を止めるという情報はすべて嘘である

2018年5月にスウェーデンで480万世帯に配布された民間緊急パンフレットより

グレーゾーン化する日常

エストニアが2007年4月27日から5月18日の22日間にわたって受けた大規模なサイバー攻撃によって、デジタルテクノロジーに関する安全保障は新しい次元に入った。本章では、既存の国際秩序を変更し得るサイバー攻撃について問題の所在を提示する。サイバー攻撃はこれまでの軍事行動に比して、攻撃側にとって極めてコストが低く、その出自の隠蔽も容易な非対称的攻撃である。

現代の軍事作戦は「ネットワーク中心の戦い（NCW）」[1]となっており、人工衛星、無人機、兵士などによってリアルタイムで膨大な情報が収集・処理されている。そのためサイバー空間は陸、海、空、宇宙に並ぶ一つの領域であると同時に、すべての作戦領域を統合するものだといえる。

米国国防総省は将来の脅威として陸、海、空、宇宙、サイバー空間の敵対国によるA2／AD能力、つまり「アクセス阻止（Anti-access）」及び「領域拒否（Area-denial）」能力を挙げる。[2] 敵対国によるA2／ADが実現すれば米国が作戦領域で自由に行動することが困難となり、軍事優位性は減退するものと考えている。

また今日では、サイバー攻撃は「グレーゾーン」における紛争や主権侵害に関係する重要

1―NCW＝Network Centric Warfare

2―木内 啓人「統合エア・シー・バトル構想の背景と目的―今、なぜ統合エア・シー・バトル構想なのか―」海上自衛隊幹部学校 論文集 海幹校戦略研究、2011年12月、p139によれば、『アクセス阻止』とは、前方展開基地などの固定地域や軍事目標への接近（戦域への戦力の展開、利用）を阻止することであり、『領域拒否』は、特定の地域における行動の自由を制限することを狙いとし、それらの対象領域は、海、空、陸、宇宙及びサイバー空間の全次元にわたる」としている
https://www.mod.go.jp/msdf/navcol/SSG/review/1-2/1-2-8.pdf
A2／ADの詳細については、下記を参照のこと
Andrew Krepinevich, Barry Watts and Robert Work, "Meeting the Anti-Access and Area-Denial Challenge,"

な要因である。ここでの「グレーゾーン」とは「領土や主権、海洋における経済権益等をめぐり、純然たる平時でも有事でもない事態」[3]を指す。武力の行使とも武力による威嚇[4]とも判然としない低強度のサイバー攻撃や、ネット上にデマや虚偽の情報を流すデジタル・ディスインフォメーションによって他国に干渉することはもはや日常となった。

従来からの武力行使に加えて、非正規の戦闘やサイバー攻撃が行われる紛争を「ハイブリッド戦争」と呼ぶ。ハイブリッド戦争ではサイバー攻撃やディスインフォメーションが重要な役割を果たすようになっている。

中国の「超限戦」[5]や「三戦」[6]はグレーゾーンでの争いやハイブリッド戦争に類似した概念だ。「超限戦」は１９９８年に出版された中国人民解放軍将校の著者らが書いた作品『超限戦』の中で述べられている概念で、従来の軍事力、武力以外の経済制裁、メディア操作、サイバー攻撃などのあらゆるものが、領域を問わずに戦争の手段になるという。また「三戦」は２００３年、中国共産党中央委員会及び中央軍事委員会で採択され、中国人民解放軍政治工作条例に記載された「輿論戦、心理戦、法律戦」のことを指し、武力以外で他国を弱体化させる手段である。『超限戦』は２００１年に起きた9・11米国同時多発テロを予見したとも言われる書籍であるが、現在ではハイブリッド戦争の概念を一早く提示したものと考えられている。

Center for Strategic and Budgetary Assessments, 2003. https://csbaonline.org/research/publications/a2ad-anti-access-area-denial/publication/1

3—「平成26年度以降に係る防衛計画の大綱について」(別紙) 平成26年度以降に係る防衛計画の大綱 p1 平成25年12月17日国家安全保障会議決定 閣議決定

4—国連憲章第2条4項は、すべての加盟国にその国際関係において、武力による威嚇又は武力の行使を禁じている

5—喬良、王湘穂、劉琦訳、坂井臣之助監修、『超限戦 21世紀の「新しい戦争」』KADOKAWA、2020年

6—航空自衛隊幹部学校 航空研究センター エア・パワー研究 幹部学校研究メモ 戦略研究グループ

『超限戦』は1998年に出版されているが、翌年1999年には後にサイバー空間における米国と中国の対立の端緒となった事件があった。ユーゴスラビア紛争時にNATO（北大西洋条約機構）軍がベオグラードの中国大使館を誤爆し、その後、米国政府系サイトがサイバー攻撃を受けた。これがサイバー空間での米中の最初の直接的な争いだとされている。

「3 中国による三戦の定義等および エア・パワーに関する三戦の事例」p114.
https://www.mod.go.jp/asdf/meguro/center/AirPower2nd/113memo3.pdf

エストニアへのサイバー攻撃

冒頭のエストニアへのサイバー攻撃は、エストニア政府が、2007年4月に第二次大戦時の旧ソ連の戦勝記念像を首都タリン中心から移動したことが発端とされる。旧ソ連の戦勝記念像は現地のロシア系少数派からすれば「解放者」である一方で、エストニア人からすれば「迫害者」を表象していたため、政治的動機を持つ者がサイバー攻撃を支援したと考えられた。ロシア語の痕跡などからエストニア政府はロシア政府によるサイバー攻撃の組織的な関与を疑ったが、ロシア側は関与を否定している。

EU及びNATOに加盟するエストニアは人口130万人ほどでありながら欧州でも先進的な電子政府を持つことで知られ、ほとんどの行政手続はオンラインで完結する。電子政府は、政府機関が国民の何をオンライン上で閲覧したかが国民に開示されるなど透明性を重視し、民主的に運用されている。

エストニアの首都タリンには中世の趣を残す街に先端的な電子政府が存在する

首都タリンは中世の面影を残す小都市だ。日本からはフィンランド・ヘルシンキ空港まで航空機で10時間余り、ヘルシンキからはフェリーに乗り2時間ほどでタリンの港に着く。

そのエストニアで政府機関、銀行、メディアといった重要な社会インフラが主にDｏｓ攻撃（Denial of Service、サービス拒否攻撃）やDDｏｓ攻撃（Distributed Denial of Service、分散サービス拒否攻撃）などを受けた。Dｏｓ攻撃もDDｏｓ攻撃も攻撃対象に大量のデータを送ることにより過大な負荷をかけるものであり、DDｏｓの場合は乗っ取った複数のマシンから攻撃を行う。Dｏｓ攻撃自体はエストニアでの事件以前にも頻繁にあり、ウェブサイトのダウンなどが日々ニュースとして報じられていた。エストニアの場合が特徴的だったのは、その規模、期間、背後に他国の関与が見え隠れしていた点だ。サイバー攻撃が発生した翌2008年にエストニア・タリンにはNATOサイバー防衛協力センター（CCDCOE）が設立されている。[7] この事件により、ネットワークに接続された社会インフラが大規模なサイバー攻撃に脆弱であること、攻撃者は匿名であり素性を暴くことが困難なこと、国家アクターの大規模な攻撃によってサイバー空間が容易に紛争地化され得ることが明らかになった。[8]

サイバー攻撃に武力で応じることは可能か？

サイバー空間における脅威が認識された2007年のエストニアの事件から10年以上が過ぎた2019年5月、イスラエルである事件が注目を集めた。イスラエル国防軍が「この拠点から自国へのサイバー攻撃があった」として、ガザ地区にあるイスラム組織の拠点を空爆したのだ。リアルタイムで武力行使を行ったと考えられたこの事件[9]はサイバー攻撃への対応について重要な先例となるように見えた。

たとえば他国政府の支援するハッカーたちによって領土内のインフラストラクチャーがサイバー攻撃を受けた場合に、そのハッカーの拠点に武力攻撃を行うことは可能なのか、という問いをこの例は突きつける。

7―CCDCOEの設置自体は以前から検討されていたものだが、これがNATOのサイバー防衛の拠点となった。日本の防衛省も2019年に国際法の専門家をCCDCOEに派遣している
https://ccdcoe.org/about-us/

8―Ottis ,Rain, "Analysis of the 2007 Cyber Attacks Against Estonia from the Information Warfare Perspective," Cooperative Cyber Defence Centre of Excellence, Tallinn, Estonia

9―Newman, Lily Hay "What Israel's Strike on Hamas Hackers Means For Cyberwar", WIRED, May 6, 2019.
https://www.wired.com/story/israel-hamas-cyberattack-air-strike-cyberwar/

サイバー攻撃は武力攻撃を構成し得るか否か。日本政府の見解は「条件付きイエス」である。2019年4月、岩屋防衛大臣は参議院外交防衛委員会で「サイバー攻撃であっても、物理的手段による攻撃と同様の極めて深刻な被害が発生し、組織的・計画的に行われていると判断される場合、武力攻撃にあたりうる」と述べている。また日米同盟においても、2019年4月19日の日米安全保障協議委員会（SCC）において、「国際法がサイバー空間に適用されるとともに、一定の場合には、サイバー攻撃が日米安保条約第5条の規定の適用上武力攻撃を構成し得ることを確認した」としている。

一方、「いかなる場合にサイバー攻撃が日米安保条約第5条の下での武力攻撃を構成するかは、他の脅威の場合と同様に、日米間の緊密な協議を通じて個別具体的に判断されることを確認した」[11]と判断基準については保留した。「武力攻撃」として認定することは、国際法上、自衛権を行使するための要件となる（国連憲章第51条）。それでは、もし日本で発電所や交通網へ他国のものと考えられるサイバー攻撃が発生した場合に、日本政府は武力攻撃を受けたとみなすのだろうか。ひいては自衛隊が応戦するようなことはあるのだろうか。

2020年4月7日の衆議院安全保障委員会[12]にて河野太郎防衛大臣は、米国国防総省資料の事例を引き合いに出しつつ、日本政府の参考として、「サイバー攻撃による原子力発電所のメルトダウンを引き起こすもの、人口密集地の上流のダムを開放し決壊をもたらすもの、航空管制システムに不具合をもたらして航空機の墜落につながるもの」などが武力攻撃

10—重要な判例であるニカラグア事件 国際司法裁判所（ICJ）判決（1986年）によれば、「武力行使」を「もっとも重大な形態」とし、武力攻撃と武力行使は行為の規模と効果によって判断される

11—2019年4月19日 日米安全保障協議委員会共同発表（仮訳）https://www.mofa.go.jp/mofaj/files/000470737.pdf

12—衆議院インターネット審議中継 2020年4月7日安全保障委員会 河野太郎防衛大臣答弁（2時間14分～）より http://www.shugiintv.go.jp/jp/index.php?ex=VL&deli_id=50001&media_type=

にあたる可能性があると述べている。そして「武力攻撃の着手」があった場合でも武力攻撃と認定する可能性を残した。

日本でこうした攻撃と破壊が起こる可能性は十分にある。現実に起きた際の政府対応は極めて難しいだろうが、この答弁が2020年の日本の現在地点といえる。

アトリビューション問題と国際関係

実際にサイバー攻撃を武力攻撃と認定し、その攻撃者を捕捉することは、その特性からして難しい。サイバー攻撃の特性に「アトリビューション問題（Attribution）」がある。アトリビューションとは「帰属」、この場合においては攻撃の主体を意味する。

サイバー攻撃は匿名性が高く、第三者に偽装することや攻撃の痕跡を消すことが容易だ。コンピュータウイルスによって乗っ取られた第三者のコンピュータが攻撃の踏み台にされることも多い。攻撃を受けた側がアトリビューションを捕捉することが困難なため、攻撃側が圧倒的に有利かつコストが低い非対称性を持つのである。アトリビューション問題は今も昔もさほど変わっていない。1989年に書かれたノンフィクション『カッコウはコンピュータに卵を産む』[13]もハッカーのアトリビューションを追跡する物語であり、同書は今ではハッカー関連書籍の古典となっている。

13—原題はStoll, Clifford, *The Cuckoo's Egg: Tracking a Spy Through the Maze of Computer Espionage*, Doubleday, September 26, 1989.
本書には映画「ウォー・ゲーム」に関する記述もある

国際関係においてアトリビューションの問題は大きく、たとえ攻撃を受けた側が攻撃主体の国や組織を捕捉しても、攻撃主体が関与を否定することは容易だ。また、攻撃に政府の関与はなく、自国のハッカーたちの個人的・自発的な行動だと主張することもできる。もちろん個人のような国家以外によるサイバー攻撃は犯罪であり、2004年にサイバー犯罪条約(Convention on Cybercrime)が発効しており日本も締結している。[14]

2017年にNATOサイバー防衛協力センターがまとめたサイバー空間における国際法適用の指針として「タリン・マニュアル2・0」[15]がある。タリン・マニュアル2・0は自国の領域内にあるサイバー・インフラストラクチャーが他国に害をなさぬように「相当の注意」を求めているが、現実にはサイバー攻撃を支援・黙認するだけではその攻撃主体を国家に帰属させることは困難であろう。

同様にタリン・マニュアル2・0では国家が他国の主権を侵害するサイバー空間での行動を禁じているが、サイバー犯罪は国家に帰属しなければ、犯罪と認定されても主権侵害とは言えず、攻撃側政府が関与を否定するケースや先述のように民間人が勝手に攻撃に参戦するケースでは責任の追及は難しい。こうしたグレーゾーンを意図的に利用した国家による紛争状態と平和状態の中間での継続的な攻撃は、すでに日常的な脅威となっている。

加えて、もしもアトリビューションを特定できたとしても、対象者を公に開示することに

14—外務省 サイバー犯罪条約 2016年2月現在、締約国48ヵ国(すべてのG7諸国を含む)、署名済み未締結国6ヶ国
https://www.mofa.go.jp/mofaj/gaiko/soshiki/cyber/index.html

15—*Tallinn Manual 2.0 on the International Law Applicable to Cyber Operations*, Cambridge University Press, February 2017.
条文の日本語訳は下記を参照した
中谷和弘、河野桂子、黒崎将広『サイバー攻撃の国際法—タリン・マニュアル2.0の解説』信山社、2018年

は各国政府とも消極的だ。情報を開示することは、攻撃された側が「どこまで探知できて、どう対応したか」を見せることを意味し、捕捉する技術レベルを露呈する点でリスクの高い行為だと考えられている。防衛関連組織やインテリジェンスコミュニティ(諜報関連組織)では攻撃を受けた詳細を開示することはほとんどない。自国の技術レベルを知られるというリスクを冒してまで政府がアトリビューションを示して他国を非難する際は、強い政治的メッセージや警告の意味があると考えられる。

サイバー空間に主権はあるか

サイバー攻撃は何らかの形でネットワークに侵入できればどこからでも攻撃が可能であり、国境などの地理的条件を越える。このような環境でサイバー攻撃に対し武力で応じることは当然に第三者との偶発的な衝突も懸念されるため、先述のイスラエルの例がありながらも、慎重にならざるを得ない。

サイバー攻撃に対しては高度に洗練されたネットワークインフラを持つ政府や社会ほど脆弱であり、失うものが多いと言える。一方で攻撃側は国家アクターの他にもテロリストや金銭目的のハッカーなどの非国家アクターも含まれる。サイバー攻撃は、経済的に余裕のない国家にとって低コストで政治的パワーを保有できる「貧者の核」となり得るのだ。

安全保障上の脅威は陸、海、空、宇宙、サイバー空間に存在し、国家はそれぞれに対応を迫られる。そのなかで仮想的性質を有するサイバー空間にも国際法の基本原則たる主権(Sovereignty)を国家は主張できるのだろうか。領域内における主権とは、国家が有する排他的かつ最高権力である。[16] 国家は主権・領土・国民で構成されており、サイバー空間を拡張された新たな領土とみなす可能性もあるが、現在ではサイバー空間の主権について完全な国際的コンセンサスは無い。

タリン・マニュアル2・0によれば、国家の主権原則はサイバー空間に適応される。自国領域内に物理的なインフラストラクチャーとそこを起点とする行動があれば、属地主義(場所を基準にして物事を決定する考え方)として国家の主権が及ぶとみなすためである。国家の主権とはその領域内における統治能力のことを指す。ただしタリン・マニュアル2・0はサイバー空間における法を創造するものではない。あくまで一部の参加国の専門家がサイバー空間の現状に照らして国際法を確認したものであり、拘束力は持たない。

タリン・マニュアル2・0同様に、サイバー空間での国際法の適用に関する検討は、日本も参加している「サイバーセキュリティに関する国連政府専門家会合(GGE=Group of Governmental Experts)」や2011年にロシア、中国をはじめとする国々が国連総会に共同提案した「情報セキュリティのための国際行動規範(案)[17]」が存在する。サイバー空間での主権の捉え方について、八塚正晃「サイバー安全保障に対する中国の基本的認識[18]」によれば

16—近代主権国家体制は1648年のウェストファリア条約で確認された国家の領域内統治権と相互不可侵を原型とする

17—United Nations A/69/723 General Assembly, "Letter dated 9 January 2015 from the Permanent Representatives of

中国では、「中国政府が唱える国家主権とは、政府が国内のサイバー空間のコンテンツまで規制する権利を含む。欧米諸国との間に、政府の介入をめぐり大きな差異がある」という。

　また、国際政治学者のハーバード大学のジョセフ・ナイ教授は、国家の主権は物理的なインフラには及ぶものの、仮想レイヤー・情報レイヤーにコントロールが及ぶことは難しいと『Nuclear Lessons for Cyber Security?(2011)』[19]で述べている。

　２０１３年の日本政府の国家安全保障戦略には「近年、海洋、宇宙空間、サイバー空間といった国際公共財（グローバル・コモンズ）に対する自由なアクセス及びその活用を妨げるリスクが拡散し、深刻化している」という記載がある。サイバー空間を国際公共財と見たときに、国家レベルではサイバー犯罪条約に主要国が批准するという国際協調の動きが見られる。また、インターネットの黎明期にはサイバー空間が国際公共財であるという考え方が存在し、体制や政府による管理を嫌う、ある種のカウンターカルチャー的風土があったことはよく知られている。一方でタリン・マニュアル２・０にもあるように、サイバー空間を構成する物理的なコンピュータやネットワークは国家の主権が及ぶ現実の領域に存在しており、各国とも属地主義から逃れることはできない。

　今日、個人が物理的空間を移動したとしても、個人は身につけたスマートフォンから、サ

China, Kazakhstan, Kyrgyzstan, the Russian Federation, Tajikistan and Uzbekistan to the United Nations addressed to the Secretary-General”

18—八塚正晃「サイバー安全保障に対する中国の基本的認識」防衛研究所　NIDSコメンタリー第60号　2017年5月24日 http://www.nids.mod.go.jp/publication/commentary/pdf/commentary060.pdf

19—Nye, Jr., Joseph S. 2011. Nuclear Lessons for Cyber Security? Strategic Studies Quarterly 5 (4) : 18-38. https://dash.harvard.edu/bitstream/handle/1/8052146/Nye-NuclearLessons.pdf

イバー空間に位置情報を送信している。これに監視カメラとＡＩの顔認証技術を組み合わせれば、個人（国民）の居場所は国家によってどこまでも捕捉されることだろう。ペットの犬や猫のようにマイクロチップをＩＤとして体内に埋め込むこともできる。この状況をサイバー空間と現実世界が溶け合っていると見ることもできるが、国家の領土や属地主義が拡張し、たとえ地理的に移動しても個人をどこまでも国家（政府）が追いかけて来る状態とも考えられる。自国の法を国外でも適用する域外適用をテクノロジーに組み合わせることで、個人を巨大な檻に入れることも可能になるだろう。

個人が、物理空間とサイバー空間の両方において政府に身を委ねてでも生き残ることを優先したのが２０２０年初頭から世界中で拡大した新型コロナウイルスだった。「スマートフォンのデータから、どこにいたか、誰と会ったかといったプライバシーを政府や第三者に渡してでも、自分の命を守って欲しいのか」という問いが、世界中で投げかけられた。

現在のテクノロジーであれば、個人の体温や心拍数を政府が集中管理することも可能だ。公衆衛生上、国民個人の健康状態をモニタリングし、行動を制限することは感染症の拡大防止には意味があるだろう。しかし、同時に国民がどんなコンテンツを見た際に、どこにいたときに、誰と会ったときに体温や心拍数が変わったかを政府が把握することすらも可能となる。今なら、政府が国民の状態を知る前にデジタルプラットフォーマーがユーザの体温情報にアクセスするかもしれない。2020年、新型コロナウイルスがデジタルテクノロジーに新たな論点を設定したことは間違いない。論点は、国民が感染症の脅威の無い平時においても、自分の安全のためにプライバシーを政府や第三者に与えるかである。

人質に取られる政治と社会

社会は高度にネットワークやコンピュータに依存しているほど、サイバー攻撃に脆弱になる。たとえば、北朝鮮政府から支援を受けるハッキング部隊は西側先進国のネットワークに侵入し仮想通貨交換所で窃盗を行えるが、逆にネットワークインフラが社会的に発達していない北朝鮮にはハッキングの対象が無い。ここでも非対称性が存在する。

平時でも各国政府や国防関連企業に対し、ハッキングによる機密情報へのアクセスやインフラストラクチャーへのマルウエア（悪意あるソフトウエア）の埋め込みが行われている。日系メーカーがソフトウエアの開発を委託した先が、開発を再委託し、最終的には北朝鮮系のソフトウエア開発会社が委託を受けていた例もある。[20] 非友好的な国で開発されるソフトウエアを日本国内で使用することは安全とは言えないだろう。

マルウエアによっては、事件が起こるまで起動しないスリーパー（潜伏）状態のものもあり、平時にはリスクが認識できない。また、「ゼロデイ攻撃」と呼ばれる、開発会社も知らない、

20―時任兼作「スクープ　アリコの顧客情報が中国・北朝鮮に流出した?」『週刊朝日』2009年9月25日号、p120.

修正前のプログラムの未知の脆弱性への攻撃は防御が困難である。このゼロデイ攻撃はハッキングで多用されており、善意からエンジニアがソフトウエア企業にゼロデイの脆弱性を見つけて連絡したり、企業側が報酬を出して脆弱性の発見を外部に募ったりしている。

一方で、価値あるものには値段がつくものであり、ゼロデイ攻撃用の脆弱性はダークウェブ[21]にあるようなグレーマーケットで数百万円から数億円で売買されている。そこでは匿名の犯罪者だけでなく、米国政府やＦＢＩといった機関も買い手となっている。各国政府自身が他国の諜報や監視に使用するために、ｉＯＳ、Ｗｉｎｄｏｗｓ、グーグルクロームのハッキング用の脆弱性を購入しているのだ。購入者の中には米国、英国、イスラエル、ロシア、中国、インド、ブラジル、イラン、マレーシア、シンガポール、北朝鮮、いくつもの中東諸国が含まれる。[22]

スパイ行為である機密情報へのアクセスだけでなく、ハッキングによる情報の改竄、漏洩もリスクである。意図的な改竄、漏洩は特定の組織や人物の信用失墜を引き起こすことが可能だからだ。たとえば上場企業の情報漏洩を引き起こし、株価を下落させたり、情報漏洩と株式の空売りを組み合わせて利益を得たり、情報漏洩で企業を破綻状態に追い込み、買収したりすることも想定される。こうした手法の裏に国家が見え隠れするのであれば、それはすでにグレーゾーンでの紛争と言えるのではないだろうか。

また、政治においてもサイバー攻撃（ハッキング）によって影響力を行使することが可能だ。

21—ダークウェブとは検索エンジンで見つけられず、通常のウェブブラウザで閲覧できないウェブサイトのこと。匿名性が高く専用ツールを必要とするため、違法性の高い取引に使用されることがある

22—Meakins, Joss ,"A zero-sum game: the zero-day market in 2018", Journal of cyber policy, 2019, Vol.4, NO. 1, pp63-65.

２０１６年3月の米国大統領選挙時にヒラリー・クリントン陣営、民主党下院選挙対策委員会（ＤＣＣＣ）、民主党全国委員会（ＤＮＣ）のコンピュータがハッキングされた。電子メールや資料が盗まれ、同年4月にそれらがウィキリークスなどオンラインで漏洩した。

２０１８年3月に米国ジョージア州アトランタ市はサイバー攻撃により行政サービス用のコンピュータが停止し、システムの復旧と引き換えに約5万ドルの身代金をビットコインで要求された。[23] これはランサムウエア（Ransomware）によってコンピュータやファイルを使用不能にした上で身代金（Ransom）を要求する犯罪である。オンラインでの金融や医療サービス、または電力や交通システムに対し、国家、非国家アクターの区別なく、悪意を持った者が攻撃を行うことは現実に差し迫っている脅威だ。

また、インターネットに接続されたオフィスや家庭のカメラ、マイクもハッキングの対象となる。ＩｏＴ製品はパスワードがデフォルト設定のままのために外部から侵入されることもある。「スニファー」と呼ばれる数千円の機器によって通信の解析・盗聴も可能だ。たとえばネットワークに常時接続されたコネクテッドカーのハッキングは、将来的に重大事故を引き起こす可能性がある。

先述の衆議院安全保障委員会で話されたように、原子力発電所やダムがサイバー攻撃の標的になることは十分に想定される。サイバー攻撃による物理的な破壊の事例としては、２００９年米国ブッシュ政権下で、「スタックスネット」というマルウエアがイランの核関連施

23 —Hatmaker, Taylor, "The damage from Atlanta's huge cyberattack is even worse than the city first thought", TechCrunch, June 6, 2018. https://techcrunch.com/2018/06/06/atlanta-cyberattack-atlanta-information-management/

設を破壊した事件が有名だ。

スタックスネットは米国国家安全保障局（NSA）とイスラエル軍のサイバー戦組織「8200部隊」によって実施された「オリンピック・ゲームズ作戦」と呼ばれるイラン核施設破壊工作の一部とされている。通常、核施設のような重要施設は外部ネットワークと物理的に隔絶されているが、この事件ではUSBメモリによってスタックスネットが送り込まれた。

スタックスネットは独シーメンス社のプロセス制御システムであるSIMATIC WinCC及びPCS7を探し出し、その制御するPLC（Programmable Logic Controller）を乗っ取り、ウラン濃縮工場の遠心分離機を管理者の気づかないうちに破壊、またはウラン濃縮を不完全にした。[24]

あなたが攻撃側なら何をするか？

これは遠く国外の話ではない。日本企業でも2011年に三菱重工のサーバーやPCに外部から侵入があり、潜水艦や原子力発電プラント、ミサイルなどの研究・製造拠点計11カ所でウイルス感染が確認された。[25] 三菱電機も2019年3月に中国拠点内ネットワークにあるウイルス対策管理サーバーがゼロデイ攻撃を受け、同拠点の端末に侵入されたことを発表している。[26] 2020年の新型コロナウイルスの感染拡大の中では、各国が開発を急ぐワク

24―デービッド・サンガー、高取芳彦訳『世界の覇権が一気に変わる　サイバー完全兵器』朝日新聞出版、2019年

25―「三菱重工にサイバー攻撃　防衛・原発関連など11拠点　産業スパイの可能性も」『日本経済新聞』2011年9月19日

26―「不正アクセスによる個人情

チン研究情報はハッカーのターゲットとなっていた。英国の国家サイバーセキュリティセンター（NCSC）は、ロシアの諜報機関の一部であるハッカーがワクチン情報を標的として活動している可能性があると名指しで非難した。[27]ロシア側は、すでに正規の契約をしており、盗む必要がないと関与を否定している。

デジタルテクノロジーによって国家間の紛争は、通常兵器を用いた有事と認識されるものから、平時とも有事とも言えないグレーゾーンの紛争へと姿を変えつつある。現状の国際秩序に挑戦する国々は、非友好国の政治、社会、インフラストラクチャーに低強度の攻撃を継続することで徐々に弱体化させることができるのだ。

民間企業も、重大なリスクを回避するためには、サイバー空間は正義の味方が不在の荒野だと認識し、自分が攻撃側であれば何をするかを想像することが求められる。攻撃側はもっともセキュリティの弱い拠点や人間を狙い、侵入できるポートを日々探している。私は日本を代表する大企業の経営者から、セキュリティ会社に依頼してハッキングをさせたところ、防御をすべて突破されたと聞いた。ある大手ソフトウエア企業は同様にハッキングを依頼し、ネットワークから隔絶されたサーバーをハッキングされた。ネットワークにつながっていないサーバールームのドアの前に、両手にコーヒーを抱えている見知らぬ人間がいたところ、社員が好意から中に入れてあげたのだった。コーヒーを持った人間はあたかも中に待っ

報と企業機密の流出可能性について（第3報）」三菱電機株式会社 2020年2月12日 https://www.mitsubishielectric.co.jp/news/2020/0212-b.pdf

27—Fox ,Chris, Kelion, Leo, "Coronavirus: Russian spies target Covid-19 vaccine research,"BBC, July 16,2020. https://www.bbc.com/news/technology-53429506

ている誰かがいるように見せかけサーバールームの中に入り機器に接続し、サーバーに侵入したという。

政府にとっても「サイバー攻撃は必ずされるものだ」という認識を国民に持ってもらい、社会インフラを守るというコンセンサスを醸成することが必要である。米国ではテロの発生を受けてクリントン政権下での1996年7月、大統領令第13010号[28]にて政府と民間企業が協調して重要インフラである通信、電力、ガス・原油貯蔵と輸送、金融、交通、水道、救急を物理的攻撃及びサイバー攻撃から防御するための戦略策定を唱えた。その後も9・11テロの起きたブッシュ政権下で国土安全保障局（Office of Homeland Security）を設立してテロ攻撃からの重要インフラの防御を進めてきた。社会全体がネットワークに依存している日本でも、政府が2000年に「重要インフラのサイバーテロ対策に係る特別行動計画」（情報セキュリティ対策推進会議決定）を策定し、「サイバーセキュリティ基本法」（2014年法律第104号）、「サイバーセキュリティ戦略」（2015年9月閣議決定）と重要インフラの防御対策を進めてきた。

通常兵器であればワッセナー・アレンジメント[29]、生物・化学兵器であればオーストラリア・グループ[30]といった国際協調の枠組みがある。サイバー攻撃についても、拘束力の強弱はあれどタリン・マニュアルのような議論に各国を参加させることこそが必要である。

28—Clinton, Bill, “Executive Order 13010” July 17, 1996. https://www.hsdl.org/?abstract&did=1613

29—外務省「通常兵器及び関連汎用品・技術の輸出管理に関するワッセナー・アレンジメント」（The Wassenaar Arrangement on Export Controls for Conventional Arms and Dual-Use Goods and Technologies）2017年12月15日
WAは法的拘束力を有する国際約束に基づく枠組みではなく、通常兵器及び機微な関連汎用品・技術の供給能力を有し、かつ不拡散のために努力する意志を有する参加国による紳士的な申合せとして存在している
https://www.mofa.go.jp/mofaj/gaiko/arms/wa/index.html

30—外務省「オーストラリア・グループ（AG：Australia Group）の概要」2018年7月31日
AGは法的拘束力を持つ国際約

「その情報はすべて嘘である」

重要インフラへの攻撃はテロリストによるものや身代金を要求するランサムウエアだけではない。試し試しなされるハッキングや静かに植え付けられるマルウエアは、何らかの有事の際には通常の武力紛争と同時、または前哨戦として仕掛けられるものと各国は想定している。たとえば国境を接する国々では、国境の武力紛争とサイバー攻撃、サイバープロパガンダが同時に起こるハイブリッド紛争を想定している。

２０１８年に北欧のスウェーデンでは、政府がある冊子を国民全員に配布した。その冊子のタイトルは「もしも危機や戦争が起きたら（IF CRISIS OR WAR COMES）」。冊子には「ニセ情報に注意せよ」やサイバー攻撃に対する警戒、そして「スウェーデンが攻撃された場合、抵抗せよ」「もしスウェーデンが他国から攻撃された場合、我々は絶対に降伏しない。抵抗を止めるという情報はすべて嘘である」などのメッセージが明示されている。[31]

スウェーデン政府の感じている危機を過剰だと捉えることもできるだろう。しかしながら危機の際に国民一人ひとりが自由で開かれた民主主義を信じ、自国の政府を信じることは難しい。新型コロナウイルスの感染拡大時にもいくつものデマが散見された。悪意あるディス

束に基づく枠組みではない。AG参加国は生物・化学兵器の不拡散という目的を達成し，自国の輸出管理をより有効なものとするため，AGの下で行われる情報交換，政策協調を国内の輸出管理に反映させている https://www.mofa.go.jp/mofaj/gaiko/bwc/ag/gaiyo.html

31—Swedish Civil Contingencies Agency, "IF CRISIS OR WAR COMES," May, 2018. https://www.dinsakerhet.se/siteassets/dinsakerhet.se/broschyren-om-krisen-eller-kriget-kommer/om-krisen-eller-kriget-kommer---engelska.pdf

スウェーデンのストックホルム（写真）は北欧経済の中心的な都市となっている

インフォメーションとウイルスなどの生物・化学兵器が組み合わされた攻撃の可能性は2001年の9月11日から7日目に発生した炭疽菌テロ事件の頃から想定されている。多極化した世界にとってこれまでの国際秩序や自由と民主主義は所与ではない。デジタルテクノロジーをまとった権威主義国家こそがこれからの世界の主役かもしれないのだ。

第3章

デジタルテクノロジーと権威主義国家

〈特典〉
専門家・識者が
各章を詳しく解説!

NewsPicks
アプリで無料で見る

監視下では、私たちは自由に行動しなくなり、事実上、自由でなくなる

エドワード・スノーデン（2013年に米国政府による電話・インターネット監視プログラムの存在を告発した国家安全保障局〈NSA〉、中央情報局〈CIA〉の元職員）の発言による

「アラブの春」という楽観

その若者の名前はムハンマドといった。失業中の26歳の青年は家族の生活のために、スィディブジドの街の路上に白い屋台を出して果物を売っていた。地元の警察は路上のムハンマドに執拗に賄賂を要求し、売り物を没収した。若者は怒り、ついには役所の前で自らの身体に火を放った。[1]

2010年12月17日、失業中のチュニジア人の青年が自らの身体に火を付け、腐敗した警察に対し自らの身体を犠牲にして抗議した。チュニジアは北アフリカの国であり、地中海を挟んでイタリアのシチリア島の対岸にある。この青年の事件を発端として、チュニジアでは全国規模で政権打倒のデモが起こり、翌年2011年1月14日には23年間続いたベン・アリ大統領の独裁政権が倒れるに至った。[2] このチュニジアの民主化運動は「ジャスミン革命」と呼ばれ、これに続いたエジプトの大統領退陣、リビアの政権交代といった民衆による反政府運動は「アラブの春」として世界中の注目を集めた。

体制に不満を持つ民衆にとって何よりも大きなパワーとなったのがフェイスブック、ユーチューブ、ツイッターといった米国製のソーシャルメディアだった。この現象は、インター

1—Encyclopedia Britannica, "Jasmine Revolution" https://www.britannica.com/event/Jasmine-Revolution
BBC News, "Tunisia unveils Bouazizi cart statue in Sidi Bouzid" December 17, 2011. https://www.bbc.com/news/world-africa-16230773

2—外務省『「アラブの春」と中東・北アフリカ情勢』わかる！国際情勢 Vol.87 2012年5月29日 https://www.mofa.go.jp/mofaj/press/pr/wakaru/topics/vol87/index.html

ネットが各国の民主化に寄与すると考える者、またはそう願う者を活気づかせた。チュニジアでは２０１１年の民主化運動の時期、フェイスブックのユーザの85％以上がこの民主化運動を支援するために同サービスを利用していたとされる。[3]

インターネットは個人にパワーを与えた。自らの権利を黙殺されてきた人々は、世界に向かって声を上げ、多くの仲間とつながり、正しく開かれた情報にアクセスできるようになった。

「自律・分散・協調」という技術的コンセプトを根幹に持つインターネットが社会と対峙したとき、個人が自由かつ民主的なパワーを手にすることは宿命づけられていたように見えた。黎明期より言われる「インターネットによる民主化」である。抑圧されていた人々はついに自由のためのテクノロジーを手に入れたのだ。そのテクノロジーを象徴するサービスであるフェイスブックやツイッターが自由と民主主義のリーダーを自任する米国から出て来たことは、おおいに米国のプライドをくすぐったことだろう。

しかしながら、デジタルテクノロジーは個人が独占できるものではなかったことを２０２０年代に生きる私たちは知っている。アラブの春から数年後、各国の政治学者たちが「独裁的な権威主義国家とデジタルテクノロジーは相性が良過ぎる」と語るまでに長くはかからなかった。

3—Salem, Fadi, Mourtada, Racha, "Civil Movements: The Impact of Facebook and Twitter" "Figure 7: The Main Usage of Facebook during the Civil Movement and Events in Early 2011 was to:" January 2011. https://www.researchgate.net/publication/281748504_Civil_Movements_The_Impact_of_Facebook_and_Twitter

権威主義体制（authoritarian regimes）とは、全体主義と民主主義の中間に位置する体制である。多くの利益集団や要素といった多元性を限定しつつ、特定少数の指導者や集団が政治権力を掌握する。[4] 独裁政権を倒し自由を望む民衆と同様に、現体制を維持したい独裁者や権威主義国家もまたデジタルテクノロジーを手に入れたのだった。

そこは安全地帯か、檻の中か

技術そのものは「非政治的」である。技術そのものに政治性は宿らず中立的な存在である一方で、そのパワーを各アクターが欲するのはこれまでも述べてきた通りだ。国家アクター、非国家アクター、つまり企業でもテロリストでも、デジタルテクノロジーを使って何らかの目標を成し遂げようとし、テクノロジーにアクセスする。

デジタルテクノロジーはコミュニケーション、メディアという機能を持ち、ＡＩ（多くは機械学習）による認識、予測、最適化などを内包している。これらのテクノロジーを組み合わせれば、政府が国民の福祉に資するシステムを構築することができる。たとえばＥＲ（救急救命室）に運び込まれた人が一瞬にして個人認証され、電子カルテにあった既往症と投薬履歴データから命が救われることもあるだろう。これは重要な個人データの開示を許諾していれば受けられる利便性である。

4 — 権威主義（authoritarian regimes）とは、従来は政治学者のホアン・リンスがスペインのフランコ体制を見て生み出した概念

一方で、独裁体制の政府が国民を監視・管理し、アラブの春で起きたような反体制的民衆運動を封じ込めることにもデジタルテクノロジーは利用される。国民への利便性の供与も、体制による監視もテクノロジーから見れば近似のシステムであり、使う人間の意思によって規定される。

現在でもスマートフォンの記録や顔認証技術といったテクノロジーを使えば、ユーザの現在地、居住地、移動速度、移動手段、歩行する姿勢、興味関心、購買履歴、交友関係、性的嗜好、生活パターン、体温、心拍数、声色まで容易に把握できる。たとえばインターネットで検索するたびに人々は自分の興味関心の情報を検索エンジンに渡している。グーグルやフェイスブックといったプラットフォーマーは、ユーザの検索履歴や閲覧したウェブサイトなどの情報を元にカスタマイズされた広告を表示している。ただし、プラットフォーマーはユーザ側が自分でデータを管理できる余地を残しており、グーグルであれば閲覧履歴の削除が可能になっている。

テクノロジーのもたらす機能として、たとえば顔認証で本人確認をして「顔パス」のキャッシュレス決済ができ、お店の前を通ると割引クーポンがスマートフォンに配信されれば人は便利だと感じるだろう。一方で政府によって個人の位置情報と顔認証が利用され、合理的な理由なく居住や移動が限定されたら、自由主義世界の住人であれば人権侵害だと感じ、たいていの国の住人は監視され抑圧されていると感じるだろう。新型コロナウイルスのような感染症について、プライバシーに配慮しながらテクノロジーで感染者を追跡し隔離するようなケースでは、ユーザは「利便性」と「監視」の狭間で選択を迫られる。

たとえば2020年3月の香港に入れば、強制検疫としてスマートフォンに接続するリストバンドの着用が求められ、自宅の周囲を歩くことで仮想境界線を設定することが指示される。新型コロナウイルス対策のために、2週間はこの仮想境界線から出ることが禁じられる。この境界線を出ると政府に警告が送信され、最高で罰金2・5万香港ドル（約35万円）及び禁錮6ヶ月の罰則が科される。[5]

こうした政府による管理を国民への安心・安全の供与と見るか、監視による抑圧と見るか、背景となる社会制度によって感じ方は変わるだろう。日本で言えば、日本国憲法[6]で居住、移転の自由が保障されており、個人情報保護法[7]でも「要配慮個人情報」として人種、信条、社会的身分、病歴、犯罪の経歴などが挙げられている。国家（政府）が強行的に個人のプライバシーにアクセスするケースとしては裁判所の令状[8]を取った上での犯罪捜査が想定され、令状主義は基本的人権を保護するための原則となっている。

そして必然的に個人の権利は、私権を制限する可能性のある公共の福祉と対立する。新型コロナウイルスはその現実を突きつけた。日本国憲法[9]には、「生命、自由及び幸福追求に対する国民の権利については、公共の福祉に反しない限り、立法その他の国政の上で、最大の

5—Joseff, Katie, Woolley, Samuel, "COVID-19 Isn't the Only Threat to Privacy In U.S. Politics, Surveillance Was the Norm Long Before the Pandemic" Foreign Affairs, May 22, 2020.

6—日本国憲法第二十二条

7—個人情報の保護に関する法律（平成十五年法律第五十七号）第二条3項

8—家宅捜索には捜索差押許可状、身体検査には身体検査令状が必要となる

9—日本国憲法第十三条　すべて国民は、個人として尊重される。生命、自由及び幸福追求に対する国民の権利については、公共の福祉に反しない限り、立法その他の国政の上で、最大の尊重を必要とする

ベルリンの壁（写真）はその一部が保存されており、現在でも見ることができる

尊重を必要とする」とある。本条文の個別具体的な権利性については争いがあるが、功利主義的な最大多数の最大幸福の追求や、リベラリズム的な他人に迷惑をかけなければ個人の自由を追求できるといった基本的な思想が問い直され、そこにある命を守るためにテクノロジーを実装する必要が生まれている。

　新型コロナウイルスのような有事において、政府が個人情報にアクセスするためのシステムを構築することは十分想定され得るが、システムは管理者が変われば利用方法も変わる。テクノロジーは民主主義者にも独裁者にも同様に従順である。

　たとえば中国の新疆ウイグル自治区では顔認識ソフトウエアが搭載されたデジタルゲートによって囲まれた地区に人々を居住

させている。テロ対策として、このゲートによって人々は審査され、拘束されるか否かが判断される。[10]テクノロジー自体は中立なので、こうしたケースではその上位にある規範と設計によって、人々は安全地帯にいるのか、デジタルの檻にいるのか、どちらかを感じることとなる。

監視システムと聞けば、西側の人間は冷戦時代の東ドイツを想起するかもしれない。１９８９年にベルリンの壁は崩れ、東西冷戦に終止符が打たれるまで、ドイツは東と西に分かれていた。旧東ドイツには当時、世界でもっとも洗練された人間による監視システムであった秘密警察のシュタージ（Ｓｔａｓｉ、旧国家保安省）が存在した。１９５２年末にはシュタージには８万人以上のスタッフがいたという。[11]当時の東ドイツの人口は約１８００万人だったので、国民の約０・４％が秘密警察に所属していたことになる。[12]冷戦時代、30年程前まで人間による人間の監視はこのように膨大な人数とコストを要するものであった。時代は流れ２０２０年代、カメラとビッグデータにより人間の監視は低コストなものとなった。監視カメラとデータは人間のように長期間の育成コストや政治的な裏切りの懸念も無く、24時間働いて疲労することも無い。国民の監視と管理を望む独裁者や独裁政権にとっては極めて有用な統治手段となる。

アラブの春において民主化を促進すると考えられたデジタルテクノロジーは、時を経て、

10—Kendall-Taylor, Andrea, Frantz, Erica, and Wright, Joseph, "The Digital Dictators How Technology Strengthens Autocracy" Foreign Affairs, March/April 2020. https://www.foreignaffairs.com/articles/china/2020-02-06/digital-dictators

11—Federal Commissioner for the Records of the State Security Service of the former German Democratic Republic. "Overview," "The Official Employees of the MfS" https://www.bstu.de/en/the-stasi/ https://www.bstu.de/en/the-stasi/the-official-employees-of-the-mfs/

12—Statista, "Population in the former territories of the Federal Republic of Germany

権威主義体制の統治手段に変わりつつある。米国やＥＵ諸国のように自由と民主主義を標榜する国々からすれば、権威主義や独裁主義の下にいる国民が監視カメラやデジタル化された行動履歴によって政府に監視されることは、テクノロジーによって人間が抑圧されたディストピアとして描写、批判されることが多い。日本で言えば憲法で保障されている自由権、つまり国家からの自由に相反する。一方で経済発展途上にある権威主義国家からすれば、低コストで秩序と治安の維持が可能となり、国民も犯罪率の低下、社会の安定などの恩恵を受けているという反論が考えられる。

１億７６００万台の監視カメラ

世界でもっとも高度な監視テクノロジーが中国にあることはよく知られている。２０１７年時点で中国には約１億７６００万台の監視カメラが設置されている。[13] ２０１９年の世界の都市別監視カメラの設置数は、１位の重慶市が２５７万９８９０台で人口千人につき１６８台、以下同様に深圳市が１９２万９６００台で１５９台／千人、上海が２９８万５９８４台で１１３台／千人となっている。[14] 監視カメラの一部は「天網」という名前でネットワーク化され、ＡＩによる顔認識と人物の捕捉が行われている。また構築中のシステムとして、地方政府が国民の交通違反や支払いの滞納といった情報を収集する「社会信用システム」が

and the German Democratic Republic from 1950 to 2016" https://www.statista.com/statistics/1054199/population-of-east-and-west-germany/

13—龍評「ここまで来た中国の監視社会　デジタル技術フル活用」『共同通信』２０１９年８月28日 https://www.kyodo.co.jp/intl-news/2019-08-28_2209594/

14—Bischoff,Paul,"Surveillance camera statistics: which cities have the most CCTV cameras?", comparitech, August 15, 2019. https://www.comparitech.com/vpn-privacy/the-worlds-most-surveilled-cities/

15—中国開発改革委員会　全国信用情報共有プラットフォーム（試験版） http://www.gjzwfw.gov.cn/

ある。[15] これは企業であるアリペイ（支付宝）が運用する「芝麻信用」のようなクレジットカードの優遇措置に類似した信用スコアとは別の、公的なシステムである。

中国政府の「社会信用システム」は国民と企業の経済、社会、道徳、政治的行動を監視、評価、規制する目的で構築されている。このシステムによる国民個人の点数は最低点が600点、最高点が1300点。現実社会とオンラインでの国民の行動に報酬と処罰によるインセンティブ設計がなされており、高スコアの人間には、学校への優先入学、就職時の優遇、公共交通機関や病院での優先、ローンへの優先的なアクセス、無料のジムなどが提供される。一方で低スコアの人間は二級市民として扱われ、公共サービスの利用制限、ローン借入の制限、そしてオンラインや公共の場ではブラックリストに載った市民として名前、写真、IDナンバーが公表される。点数が加算されるためには、たとえばソーシャルメディアで政府を称えること、貧しい人を助けること、献血をすることなどが必要であり、一方で減点される例としてはソーシャルメディアでの政府批判、定期的に両親を訪問しないこと、オンラインゲームでの不正などが挙げられている。[16]

約14億人の中国国民を共産党の一党独裁の下に統治するためには、低コストで効率的なデジタルテクノロジーを活用したシステムの実装が必要だと考えられる。国民も社会秩序の安定を望むことだろう。デジタルテクノロジーによって路上では犯罪が減り、国民が助け合い、両親を敬う道徳的な社会が実現するとも考えられる。一方で社会信用システムは一部の

16―Bertelsmann Stiftung "Asia-Book, China's social credit systm" https://www.bertelsmann-stiftung.de/fileadmin/files/aam/Asia-Book_A_03_China_Social_Credit_System.pdf

エリートが大衆を管理する植民地総督府功利主義的[17]である。そして国民は、ゲームで得点を稼ぐかのように設計されたインセンティブのなかで生活することとなり、ブラックボックスのアルゴリズムに規定されたスコアによって、自分の人生を左右される可能性が否めない。この社会信用システムに似たものは多い。既存の国際的クレジットカードのスコアもそうだろう。人々はカードのポイントシステムのために行動変容されている。

実際にテクノロジー側から見れば、ハードセンサーである監視カメラ、ソーシャルセンサーであるソーシャルメディアから、個人のプロフィールや行動履歴データを可能な限り収集し、統治のため設定された指標を最大化すべく個人の行動変容を行うことは、ゲーム、広告テクノロジー、感染症拡大防止のインセンティブ設計に近似する。[18]極論すれば、現実世界はデジタル通貨による個人の捕捉、個人の行動インセンティブ、個人の社会スコアなどによって箱庭のようになり、ソーシャルゲームと現実の区別は難しくなってくる。ソーシャルゲームには神の視点を持った運営会社がいるように、デジタル化された世界における神の視点は政府のものになる可能性がある。

そしてデータの増大によるアルゴリズムの洗練と国民の功利主義的なシステムへの「慣れ」が結合すれば、統治はより容易なものとなる。普遍的価値としての人権を標榜する欧州諸国は、人間の自己決定を権利侵害する可能性があるシステムを批判することだろう。[19]たとえば、ＥＵのＧＤＰＲ（一般データ保護規則）において、個人（データ主体）がプロファイリン

17—植民地総督府功利主義（government house utilitarianism）は英国の哲学者バーナード・ウイリアムズによる概念。植民地を統治するかのように、トップである総督だけが人々に代わって功利計算を行うことを指す

18—現在では規制や経済的インセンティブに基づかない、個人に選択の自由を残した介入である「ナッジ」が研究されている。たとえばソーシャルディスタンスを取る際に、強制せずとも線を描いておけば、人はその線に沿って並ぶというものである

19—一方でオランダのバルフ・デ・スピノザ（1632-1677）のように「自由意志」を否定している哲学者もいる

グを含む自動化処理のみによって何かの決定の対象となることを禁じている。[20] つまり、個人の日常生活での行動記録から社会信用スコアが影響を受けて、「自動的に」志望する学校に入学できなかった、しかし理由は不明である、ということを回避する設計である。

デジタルテクノロジーによる社会統治は、権威主義国家と民主主義国家の間に大きな亀裂と揺らぎをもたらしている。２０１０年にＧＤＰ（名目）で日本を追い抜き世界第2位となった中国は、その一党独裁かつ市場経済という中国モデルによる経済成長に自信を深めてきた。一方で西側諸国では２０１７年にはじまった米国のトランプ政権を筆頭に保護主義、ポピュリズムの勢いが増している。米国を中心とした戦後国際秩序が衰退を見せ、ＥＵ諸国の政治エリートたちがポピュリズムに疲弊するなか、「才能を隠して、内に力を蓄える」という意味である韜光養晦《とうこうようかい》を捨てた中国が成功モデルを国際社会に提示している。その強みの一つが国内統治のためのデジタルテクノロジーである。

ポピュリズムの台頭に自信を無くしつつある西側民主主義国家を尻目に、国家資本主義、共産党一党独裁政権である中国が経済的成功を収めると、人権に対し一定の制限をしながらも、効率的で秩序ある安定した社会を構築している中国型のデジタルテクノロジー統治が魅力的に見えてくる。これが、今の西側諸国の揺らぎである。そして２０２０年の新型コロナウイルスの感染拡大防止に権威主義国家の監視テクノロジーが寄与したことが、自信を失う西側諸国により一層の揺らぎを与えた。

20—EU GDPR Article. 22 – Automated individual decision-making, including profiling

ソーシャルメディアにおける政治的干渉

国内統治から国際関係に視点を移すと、旧来のプロパガンダ（政治的宣伝）を越えた他国によるディスインフォメーション（フェイクニュース＝虚偽情報の拡散）と選挙への介入が大きなイシューとなっている。他国からのこうした攻撃に対し、言論と表現の自由がある民主主義国家は、情報の拡散が容易だからこそ脆弱だ。ディスインフォメーションは民主主義の存立基盤を揺るがす可能性がある。

デジタルテクノロジーによる政治への直接介入を知らしめた例として、英国の選挙コンサルティング会社であるケンブリッジ・アナリティカ社（ＣＡ＝Cambridge Analytica）の事件がある。ＣＡ社の親会社であるＳＣＬグループは米国や英国の軍事機関に中東やアフガニスタンでの心理情報戦の助言をしており、設立には極右ニュースサイト「ブライトバート・ニュース」の創業者で会長だったスティーブ・バノンが関わった。バノンは２０１６年の米国大統領選挙でドナルド・トランプ陣営の選挙対策責任者を務め、２０１７年にはトランプ政権の首席戦略官兼上級顧問を務めた。[21]

ＣＡ社は、２０１６年の米国大統領選挙と英国のブレグジットを巡る国民投票に影響を与

21—Acosta, Jim, Bash, Dana, and Kopan,Tal, "Trump picks Priebus as White House chief of staff, Bannon as top adviser," CNN, November 14, 2016.

えるため、フェイスブック利用者数千万人分の個人データを使用したと告発され、その後に廃業した。CA社はフェイスブック内のアプリ（クイズ・ゲームなど）を利用してユーザとユーザの関係者の情報を収集し、その政治信条などのプロファイリングを情報操作に用いたとされる。[22] フェイスブック上の単純なアプリ、占いやクイズなどでユーザを集めて個人情報を合法的に「抜く」行為はアプリ事業者によってごく普通に行われており、顧客体験の最適化（企業からすれば収益率の向上）のために活用されている。

データ分析によって人々の選挙行動に影響を与えることをビジネスとしていたCA社の内部情報については、英国ガーディアン紙に内部告発を行ったクリストファー・ワイリーが多くを語っている。英国ガーディアン紙に登場した際のワイリーはピンクの髪に鼻にピアスという、娯楽映画に出てくるハッカーのようないで立ちのデータサイエンティストだった。だが、ワイリーがハッキングを試みたのは英国国防省ではなく選挙制度だったのだ。

ワイリーは24歳の時にはファッションのトレンド予測を行う博士課程の研究者だった。当時のワイリーはフェイスブックの個人情報データを使って心理的、政治的なプロファイリングを行うことを思いつき、検討していた。

無名の研究者だったワイリーを表舞台に出すきっかけとなったのは、ワイリーとスティーブ・バノンの出会いである。ワイリーはバノンに「政治とファッションは似ている」と伝えたという。バノンは、政治は文化の下流にある現象だと考えていた。バノンはファッショ

22―BBC News Japan「ケンブリッジ・アナリティカ廃業へ　フェイスブックデータ不正収集疑惑で」2018年5月3日

英国のロンドンからケンブリッジ・アナリティカ社が米国大統領選挙に干渉した（写真はロンドンの金融街）

ン・トレンドという文化を変えることができるのであれば、ファッション同様に影響を与えることで、政治トレンドも変えることができると考えた。

バノンはワイリーのアイデアを、AIによる資産運用の先駆者であるルネッサンステクノロジーズの共同最高経営責任者を務めるロバート・マーサーに紹介している。ルネッサンステクノロジーズは世界でもっとも成功したヘッジファンドの一つであり、数学者、暗号解読者であるジム・シモンズが創業して率いてきた。主要ファンドのメダリオンは1998年から年率66%のリターンを出しており[23]、シモンズ自身は230億ドル（約2・5兆円）の個人資産を築いた。ルネッサンステクノロジーズは数学者と物理学者を採用し、人間の解釈を排したデータとアルゴリズムのみの運用を行っている。

ルネッサンステクノロジーズのマーサーは、ほとんどしゃべることがない無口な人物として知られる。一方でマーサーは右翼的政治信念を持ち、共和党に巨額の献金をしていた。大統領選挙のあった2016年のマーサーの共和党への献金額は約2500万ドル（約27億円）[24]。ワイリーは政治において資金提供者はいつももっともテクノロジーに疎い人種だと考えていたが、マーサーはまったく違った。マーサーは1972年にIBMに入社し、言語解析にビッグデータアプローチを持ち込んだAI研究者であり、ワイリーのアイデアを正確に理解することができた。ワイリーのアイデアはデータによって有権者の政治特性を細分化したプロファイルを作成し、そこにマイクロターゲッティングと呼ばれる手法で政治メッセー

23—Stevens, Pippa, "The secret behind the greatest modern day moneymaker on Wall Street: Remove all emotion," CNBC, November 5, 2019. "Since 1998 Renaissance's flagship Medallion Fund has returned 66% annually, or 39% after fees,"

24—OpenSecrets.org, Top Individual Contributors: All Federal Contributions 2016

ジを与えて政治トレンドを変えていくというものだった。[25] ここに野心的なデータサイエンティスト、極右思想家、データとテクノロジーを完全に理解する右翼思想を持つ投資家が集結した。

CA社を巡る事件で人々が注目した論点がいくつかある。一つはフェイスブックのようなソーシャルメディアがどれくらいの個人情報を保有しているか、次にその個人をプロファイリングし、選択的に政治的メッセージを流すことで人々の行動に影響を与えられるのかである。

CA社が行ったマイクロターゲッティング自体は従来から広告・PRの世界では使われてきたものだ。CA社がどれほど効果的にその手法を使ったか、CA社の影響がブレグジットの実現やトランプ大統領の誕生につながったのかは、今となっては検証が難しく、CA社のマイクロターゲッティングの効果に疑義を挟む者もいる。しかしながらCA社の事件はソーシャルメディアから個人情報の抽出を行うマイクロターゲッティングによる行動変容の可能性について知らしめるには十分な出来事だった。誰もが薄々感じていた可能性は本当だったのだ。

25—Cadwalladr, Carole,"'I made Steve Bannon's psychological warfare tool': meet the data war whistleblower," The Guardian, March 18, 2018. https://www.theguardian.com/news/2018/mar/17/data-war-whistleblower-christopher-wylie-faceook-nix-bannon-trump

ソーシャルネットワークはデジタルプロパガンダ天国

ＣＡ社の件とは関係なくとも、プラットフォーマーであるフェイスブック上には多くのアプリが存在する。フェイスブックアプリはユーザが「フェイスブックアカウントでログイン」することが可能であり、ログインの際にアプリ側はユーザ情報の取得の許諾を受けることができる。アプリの運営側は、たとえば氏名、プロフィール写真、友だちリスト、タイムラインの投稿、誕生日、出身地、居住地、ページへの「いいね！」など取得したい個人情報を設定できる。

アプリ側はログイン時に提供の許諾を受けた個人情報に基づき、ユーザがどういった人間かをプロファイリングし、様々な分析をすることが可能だ。たとえば表示されるどのコンテンツに「いいね！」をしているかがわかれば、アプリ側はユーザの趣味嗜好を分析することができる。

ＣＡ事件の際には、フェイスブックの保有する個人データをフェイスブックがＣＡ社に渡したかどうかについて争いがあり、英国フェイスブックの政策担当ディレクターであるサイモン・ミルナーは、フェイスブックはＣＡ社にデータを渡したことはなく、ＣＡ社の保有する個人データは、フェイスブックのユーザデータではなくＣＡ社自身が直接収集したデータであると語っている。

ソーシャルメディアから得られる人々の趣味嗜好に加えて位置情報データを把握できれば、「ジオプロパガンダ（位置情報による政治的宣伝）」が可能となる。あなたの位置情報が近くのおすすめカフェ情報に使われれば便利だが、宗教施設や病院への出入りによって特定された属性に対してマイクロターゲッティングが行われるとしたらどうだろうか。この分野は研究が進み、今では「デジタル・ゲリマンダリング」という名前がついている。[26]

検索エンジンの検索結果やソーシャルメディアでのタイムラインの順番やおすすめコンテンツなど、アルゴリズムがユーザに最適化されるほど、ユーザは自分の好ましいものしか見ない、と言われてきた。いわゆる「フィルターバブル」だ。人々はフィルタリングされ多様性を失った情報のバブル（泡）の中にいる状態となる。私には、ブレグジットの際にオックスフォード大学出身の同僚が「自分のフェイスブックには誰一人ブレグジットを望んでいる人も、それが可能だと信じている人もいなかった。ブレグジットが決まって誰もが驚愕して泣いている」と言っていたことが、今も鮮明に印象に残っている。おそらく人々はそれぞれ異なったバブルの中に住んでいるのだろう。

位置情報を用いて目の前のリアルな世界とフィルターバブルをリンクさせることもできる。スマートフォンから顔を上げたユーザの目の前のデジタルサイネージ（電子広告）に同じ

26―ゲリマンダリングは、特定の候補者または政党に有利にするための選挙区割りであり、1812年、マサチューセッツ州知事エルブリッジ・ゲリーが自分に有利な選挙区を再設定したことによる。その選挙区が想像上のトカゲのような生き物、サラマンダーに似ていたことからボストン・ガゼット紙が「ゲリマンダー」という言葉をつくった。このゲリマンダーのデジタル版の"Digital gerrymandering"については下記を参照のこと
Zittrain, Jonathan, "Engineering an Election, Digital gerrymandering poses a threat to democracy" Harvard Law Review, June 20, 2014.
https://harvardlawreview.org/2014/06/engineering-an-election/

メッセージを流すことは技術的に可能だ。フィルターバブルの中の人間に何らかの政治的意図を持って同じメッセージを流し続けたら、その人間は影響を受けるのか、たとえば投票行動は変わるのか。影響を受ける可能性は十分あるだろう。ではそのメッセージや動画がフェイクニュース（偽ニュース）やディープフェイクによるものだったらどうなるのか。

ポスト真実に囲まれる世界

ディープフェイクは、実在しない動画や音声を本物と見分けがつかないレベルで創り出すことができる、ディスインフォメーション（偽情報）の世界におけるイノベーションである。機械学習の一つであるディープラーニングにおける敵対的生成ネットワーク（GAN＝Generative Adversarial Networks）からディープフェイクはつくられる。

GANの仕組みは「生成ネットワーク」と「識別ネットワーク」という二つの競合・敵対するネットワークが、生成側は本物に似た画像をつくり、識別側はそれを偽物だと判定する作業を繰り返す。その結果として学習が進み、本物そっくりの画像がつくられる。

ディープフェイクは実在の人物の顔などを使って実在しないポルノ画像をつくり出すなど違法ポルノの世界で悪用され、すでに問題となっている。ディープフェイク画像の作成は難しいものではなく、すぐに手に入るアプリを使えば、顔をすげ替えた画像を容易につくることができる。

ディープフェイクは政治の世界における大きな問題となり得る。たとえば選挙期間中にあなたのソーシャルメディアにディープフェイクで作成された候補者のスキャンダルが流され続けたら、選挙はどうなるだろう。ソーシャルメディアとディープフェイクの組み合わせは政治トレンドに大きな影響を与え、それが他国の政府やテロリスト、反政府勢力などの非国家アクターにとっては、干渉のための武器になる恐れがある。日本の首相や防衛大臣が北朝鮮への武力行使を宣言する動画が、国際的緊張が高まるタイミングで流されたらどうなるだろうか。米国で人種差別的発言をする政治家の動画がもしもフェイクだったらどうなるだろうか。そしてディープフェイクは「嘘つき」に利益をもたらす。要職にある人間が不祥事動画に対して「あれはディープフェイクだ」と言えるようになるからだ。これは、社会への信頼を棄損する。

デジタルプロパガンダ、またはインターネットにおける情報の兵器化は、外国政府が他国民に直接的に影響を及ぼす道を開いた。ケンブリッジ・アナリティカ社の事件のように、ソーシャルメディアを用いて政治や選挙に他国が意思を持って干渉することが可能になったのだ。政治的干渉を行う国と受ける国の両国にとって、デジタルテクノロジーを使ったオペレーションのケーススタディになるのがロシアのＩＲＡ（Internet Research Agency）の例だろう。

ロマノフ朝の女帝エカチェリーナ二世の建立したエルミタージュで知られるロシアの古都、サンクトペテルブルクに所在し、数百人が業務に携わるIRAはまるで欧州の広告・PR会社のようであった。求人広告には洒落たオフィス、無料の食事、トレーニングについても言及があり、クリエイティブ部門やソーシャルメディアエキスパート部門などを擁する。ただしIRAは欧州のラグジュアリーブランドのためにデジタル広告戦略を立案、実行するわけではない。米国の複数の調査機関によれば、ロシア政府と関係があるとされるIRAは2016年の米国大統領選挙にインスタグラム、フェイスブック、ツイッターなどを通じて干渉したとされる。IRAの戦略的目的は主としてアフリカ系米国人を対象とする選挙自体の意義の否定、社会的分断の醸成、候補者であるトランプの肯定的情報とクリントンの否定的情報の流布であった。

注目すべきはIRAが米国の主要なデジタルプラットフォーマーを横断的に最大限活用し、デジタルマーケティング会社のような手法を、膨大とも言える物量で展開したことである。有料広告、インフルエンサー、リンクのシェアなどデジタルマーケティングで使われるあらゆる手法を用いて、影響下におくことのできる「オーディエンス」を囲い込み、育てていったのだ。このときの「オーディエンス」は主にアフリカ系米国人であった。

2020年5月25日、米国ミネソタ州で白人警察官にアフリカ系米国人ジョージ・フロイド氏が首を押さえつけられて殺害された事件で、「Black Lives Matter（黒人の命を守れ）」という抗議活動が世界的に注目されたが、２０１６年の段階でＩＲＡはオーディエンスの育成のためにBlack Lives Matter運動に関連付けた"blacktivist"といった名前のウェブサイト、フェイスブック、インスタグラムなどを多数、作成し運用していた。[27]

ＩＲＡはフェイスブックによって１億２６００万人、インスタグラムによって２０００万人、ツイッターにより１４００万人にアクセスして情報を伝達し、１０００を超えるビデオをユーチューブにアップロードした。グーグルのＧｍａｉｌやユーチューブでは虚偽のＩＤが作成された。

情報としては、トランプ候補をキリスト、クリントン候補を魔王サタンに見立てる画像や、クリントン候補の虚偽の発言が付記された画像など、キャッチーな広告クリエイティブのようにつくられた多岐にわたるメッセージ、画像、動画が米国のデジタルプラットフォーマーを通じて拡散された。米国司法省によればＩＲＡがこうした米国政治の操作に使った費用は２５００万ドル（約27億円）を超えたという。[28]

米国上院情報問題特別調査委員会（ＳＳＣＩ＝U.S. Senate: Select Committee on Intelligence）は２０１６年の大統領選挙におけるＩＲＡの一連のソーシャルメディアを用いた干渉を「情報戦争」と定義し、ディスインフォメーション（虚偽情報）により米国民主主義への信頼を棄損し、米国社会をイデオロギー、人種といった面で分断する活動であるとみなした。

27―Report of the select committee on intelligence united states senate on Russian active measures campaigns and interference in the 2016 U.S. election volume 2: Russia's use of social media with additional views https://www.intelligence.senate.gov/sites/default/files/documents/Report_Volume2.pdf

28―Renee DiResta, Dr. Kris Shaffer, Becky Ruppel, David Sullivan, Robert Matney, Ryan Fox (New Knowledge), Dr. Jonathan Albright (Tow Center for Digital Journalism, Columbia University), Ben Johnson (Canfield Research, LLC), "The Tactics & Tropes of the Internet Research Agency" New Knowledge, 2019.

またIRAの活動は一貫して候補者であるトランプを支援し、クリントンの信用を害するものであったとした。SSCIは、IRAのオーナーであり、ケータリング会社を経営していることから「プーチン大統領のシェフ」という異名を持つエフゲニー・プリゴジンとロシア政府の関係から、IRAの活動にロシア政府が関与していたと指摘しているが、ロシア政府は否定している。[29] 2018年2月16日、米国の特別検察官ロバート・モラーはIRAと他の事業体、13人の個人を起訴した。[30]

2018年4月10日、11日、フェイスブックCEOのマーク・ザッカーバーグは米国上院、米国下院の開催した公聴会に出席し、ケンブリッジ・アナリティカ事件とIRAの件に関して厳しい批判を受けた。ザッカーバーグは「ケンブリッジ・アナリティカからデータは使用しておらず、データを削除したと聞いたとき、私たちはそれをもう解決したものだと考えた。振り返ってみると、それは明らかに間違いだった」と述べ、IRAについては、「経営でのもっとも大きな後悔の一つは、2016年のロシアの情報作戦についての認識が遅れたことである」と述べた。[31] 公聴会は2日間にわたり大きな注目を集めた。出席した議員たちはザッカーバーグを厳しく詰問したが、議員たちのフェイスブックに対する理解不足もあり、公聴会は致命傷にはならなかったという社内の安堵の声も聞こえた。[32] このケンブリッジ・アナリティカ及びロシア問題はフェイスブックが次の野心、つまりグローバルな通貨の発行を発表した際に、また蒸し返されることとなった。

29—注釈27に同じ

30—U.S. Department of Justice, United States v. Internet Research Agency et al. Criminal No. 18 U.S.C. §§ 2, 371, 1349, 1028A, February 16, 2018. https://www.justice.gov/file/1035477/download

31—Transcript courtesy of Bloomberg Government, "Transcript of Mark Zuckerberg's Senate hearing" The Washington Post, April 11, 2018.

32—Thompson, Nicholas, "Within Facebook, a Sense of Relief Over the Zuckerberg Hearings", WIRED, April 13, 2018.

兵器化する情報

戦時とも平時とも言えない国際関係の緊張の中で、少しずつ社会不安が煽られ、国民が分断されていく。民主主義国家の人々の主要な情報ソースとなったソーシャルメディアの中で、自分がプロファイリングされて、気づかないうちに行動変容がなされていく。フェイスブックやユーチューブといったデジタルプラットフォーマーの勃興とプロファイリング、ディープフェイク、マイクロターゲッティングといった手法を用いれば、極めて安価に国境を越えて他国に影響を与えることができる。訪れたことも無い国で暴力的なデモをつくり出すことさえ可能だ。東欧ジョージア（旧グルジア）の若者が遠く離れた米国大統領選挙のフェイクニュースをつくりＰＶ（ページビュー）で生活費を稼いでいたという実例もある。

米国や欧州先進国、そして日本のような自由な民主主義国家であれば、多様性に寛容であろうとし、言論と表現の自由が存在する。

何をもって「政治的」とするかは難しい問いで、２０２０年5月にはツイッターとフェイスブックの二つのプラットフォーム上のコメントへの対応について論争が巻き起こった。ツイッターはトランプ大統領のツイートに対し、「虚偽」であることや「暴力を美化している」

という警告を発した。これはトランプ大統領の反発を招くこととなった。これはツイッターによる政治的な検閲だろうか。ツイッター社は２０１９年より政治的広告を禁止している。一方でフェイスブックのザッカーバーグＣＥＯは、ソーシャルメディアは政治家の投稿について事実確認をすべきでないと述べ、「フェイスブックやソーシャルメディアは、一般的に、事実の調停者（arbiters）になるべきでない」と語った。[33] これらは、公的な存在ではない民間プラットフォーマーの社内ポリシーの問題ではある。しかしながらフェイスブックのこの対応に対し全米黒人地位向上協会（ＮＡＡＣＰ）は「民主主義への脅威」と呼ぶなど、米国の人権団体からの批判が相次ぎ、大手企業からの広告ボイコットを招くこととなった。[34] ２０１８年にＩＲＡによる政治的干渉に対し積極的な対応をしなかったフェイスブックは、時を経て多大な犠牲を払うことになってしまった。

　一方、日本でもツイッターでの誹謗中傷が問題となっているように、社会インフラと化したプラットフォーマーに明示的な倫理指針が必要となっている。巨大な両面市場を創り出したプラットフォーマーでさえ、対応を誤れば主要な収益源である広告主が離れていく。企業は人種差別的コメントの横に自社のロゴ入り広告が掲載されることを望まないからだ。

　民主的で自由の保障された社会は他国が容易に国民個人にアクセスすることができるため、ディスインフォメーションに脆弱であり、人工的にインフォデミックをつくり出すこと

33—Rodriguez, Salvador, "Mark Zuckerberg says social networks should not be fact-checking political speech", CNBC, May 28, 2020. https://www.cnbc.com/2020/05/28/zuckerberg-facebook-twitter-should-not-fact-check-political-speech.html

34—Thorbecke, Catherine, "NAACP president calls Facebook a 'threat to democracy,' says ad boycott isn't dying down soon" abc News, July 10, 2020. https://abcnews.go.com/Technology/naacp-president-calls-facebook-threat-democracy-ad-boycott/story?id=71695281

ができる。

既存秩序に挑戦する中小国から見れば、ディスインフォメーションは攻撃側に有利な非対称性をつくりだせるコストの低いツールである。中小国はここにリソースを集中することで、通常兵器の競争から離れたゲームチェンジが可能となる。この様子は、新しいテクノロジーでリープ（跳躍）した中小国が、スタートアップ企業のように一点集中で大国がつくってきた秩序に穴を開けているようにも見える。

政府がインターネットをシャットダウンする

現代の国家間の競争において、軍事力だけが重視されることはない。国際武力紛争は通常兵器の使用、サイバー攻撃、ディスインフォメーションが同時に、行われるハイブリッド戦となる。同時に、平時から経済政策や規制によって国家間のパワーバランスを変化させることは競争の一部である。たとえば中国の唱える戦術「三戦（世論戦、心理戦、法律戦）」は情報によって他国に競争優位をつくり出すことを表している。こうした軍事、情報、経済を対外パワーとして統合的に運用するには、民主主義国家より権威主義国家の方が向いている。

そして権威主義体制は国内統治においても、政府批判に対し、ソーシャルメディアの監視、そしてインターネット自体のシャットダウンを行うことができる。インターネットの利用制限は中国の大規模検閲システムであるグレートファイヤーウォールが有名だが[35]、アフリカでは2017年以降、19ヶ国で政府がソーシャルメディアのブロック、インターネットの利用制限を行っている。2017年8月にコンゴ民主共和国ではジョゼフ・カビラ大統領の辞任拒否への抗議が起こると、ソーシャルメディアで画像を共有できないようにインターネットが遅延した。チャド共和国では2018年3月から16ヶ月間、フェイスブック、ツイッター、ワッツアップなどのアプリが使用不能となった[36]。政治体制によっては、インターネット接続やアプリ使用は国民の当然の権利ではないのである。

デジタルテクノロジーの世界では、権威主義国家は、民主主義国家より他国へのパワーの行使に有利であり、国内の統治においても強固な体制を構築することが可能だ。監視テクノロジーを手に入れた権威主義国家が国内秩序を維持する中、自由な民主主義国家は選択を迫られている。

35—グレートファイヤーウォールは、中国で2003年から稼働している大規模な検閲・監視システムである。検閲・監視は人海戦術及び機械学習によって行われていると言われている

36—Linzer, Isabel, "An Explainer for When the Internet Goes Down: What, Who, and Why? What's the difference between a block and a blackout? Who's responsible? What can be done?" Freedom House, July 29, 2019.

第4章

国家がプラットフォーマーに嫉妬する日

〈特典〉
専門家・識者が
各章を詳しく解説！
NewsPicks
アプリで無料で見る

アマゾン、グーグル、フェイスブックを解体すべき時が来た

2020年米国大統領選挙の民主党候補指名に出馬したエリザベス・ウォーレン上院議員の公約より

あなたについて誰よりも知っている企業

国家からすれば、デジタルプラットフォーマーは少し大きくなり過ぎたのかもしれない。グーグル（1610億ドル）、アップル（2600億ドル）、フェイスブック（700億ドル）、アマゾン（2800億ドル）の2019年の売上高合計は7710億ドル（約84兆円）だった。[1] この金額はスイスのGDP（世界20位）[2]よりも大きい。2020年5月にはこれらGAFAにマイクロソフトを加えた時価総額が東証1部約2170社の合計時価総額（約550兆円）を超えた。[3] また、2020年8月にはアップルの時価総額が初めて2兆ドルを超え、注目を集めた。

自国の国民については、政府よりもデジタルプラットフォーマーの方がよく知っている。もしあなたが政府に個人の行動や思想を知られることに嫌悪感を覚えるとしても、デジタルプラットフォーマーには毎日、せっせと情報を渡しているのだ。

ではデジタルプラットフォーマーにあなたについて知ることを許した覚えはあるだろうか？　あなたが何に関心を持ち、誰と会話し、どこに行っているかを知られることを民間企業に許諾したのだろうか？　あなたのチャットが誰かに監視されていたら不快だろう（ただし日本であれば「通信の秘密」は法で保護されている）。

1―FORM 10-K For the fiscal year ended December 31, 2019 — Alphabet Inc. FORM 10-K For the fiscal year ended September 28, 2019 — Apple Inc. FORM 10-K For the fiscal year ended December 31, 2019 — Facebook, Inc. FORM 10-K For the fiscal year ended December 31, 2019 — AMAZON.COM, INC.

2―The World Bank, GDP (current US$), 2018

3―「GAFA+Microsoftの時価総額、東証1部超え 560兆円に」『日本経済新聞』2020年5月8日 https://www.nikkei.com/article/DGXMZO58879220Y0A500C2EA2000/

2016年、グーグルのプライバシーポリシーに若干の変更が行われた。それまで結び付けられることのなかったデータの結合が可能になったのだ。この変更には少し経緯がある。グーグルは2007年にインターネット上の広告ネットワークであるダブルクリックを31億ドル（約3700億円）で買収した。この買収の際、グーグルの創業者であるセルゲイ・ブリンは「新しい種類の広告プロダクトを検討する際に、プライバシーは最優先事項になる」と話していた。ダブルクリックの買収から10年近くは、グーグルのGmailや他のアプリのアカウントで収集された個人の特定が可能なデータと、ダブルクリックの持つウェブ閲覧履歴データは分離されていた。関心のある画像を探してウェブを見て回るあなたとGmailのアカウントは別々のものだったのだ。

2016年、グーグルのプライバシーポリシーは「アカウントの設定によっては、他のウェブサイトやアプリでのあなたの行動は、グーグルのサービスや広告配信を改善するために個人情報と紐付けられる可能性がある」と変更された。[4] これによってウェブサイトを見て回るあなたの閲覧履歴とユーザ情報が紐付けられたのである。

現在ではこのような追跡は当たり前のようになり、またグーグルもユーザが自分でプライバシーの取り扱いについて設定する方法を提示している。あなたとデジタルプラットフォーマーとのタッチポイント（接触点）で蓄積されたデータは他のデータと統合されることによってより価値を持つのである。

4—Angwin, Julia, "Google Has Quietly Dropped Ban on Personally Identifiable Web Tracking" ProPublica, October. 21, 2016.

テクノロジーが可能にした両面市場の成立とその固定化

デジタルプラットフォーマーはユーザデータを用いて購買の促進や第三者への広告の配信を行っている。ユーザはプラットフォームの利便性を無料、または低価格で享受する一方で個人情報を提供している。その利便性の魅力と、ユーザがプラットフォーマーに個人情報や購買履歴を「預ける」ことによってロックイン状態（他サービスへの乗り換えが困難な状態）がつくられている。この力関係から、ユーザ情報の濫用のおそれがあるとして、各国政府はプラットフォーマーに対し競争政策上の規制を検討している。

競争政策とは、事業環境において公正かつ自由な競争が行われることによって、消費者が欲しいサービス・商品を自由に購入できるように、政府が市場メカニズムを整備することである。民間企業は他社と競争することによって顧客への付加価値を高めて、市場シェアを獲得している。一方で公正かつ自由であるべき競争環境は企業の独占や寡占によって妨げられ、新規参入が阻まれたり、不当な価格設定が行われる可能性がある。これを規制するのが、独占禁止法や反トラスト法[5]だ。

デジタルプラットフォーマーは検索、メッセンジャー、マーケットプレイスなどインター

5―米国の反トラスト法は以下の複数の法律の総称である。シャーマン法（1890年制定）カルテルなどの取引制限及び独占化行為を禁止し、その違反に対する差止め、刑事罰等を規定している。クレイトン法（1914年制定）シャーマン法違反の予防的規制を目的とし、競争を阻害する価格差別の禁止、不当な排他的条件付取引の禁止、企業結合の規制、3倍額損害賠償制度等について定めている。連邦取引委員会法（1914年制定）不公正な競争方法及び不公正又は欺瞞的な行為又は慣行を禁止しているほか、連邦取引委員会の権限、手続等を規定している（公正取引委員会資料より抜粋）

ネット上でユーザ側に何らかの「場」を提供している。一方、企業側には広告出稿の機会を提供するなどして、いわゆる両面市場を形成している。そしてデジタルテクノロジーが可能にした高速かつ効率的な需給調整、規模の経済の確立、極めて低い顧客獲得のための限界費用、間接・直接ネットワーク効果により、デジタルプラットフォーマーは独占・寡占化を進めて収益を得ている。

デジタルプラットフォーマーが構築したマーケットプレイスのような「場」を通じて、事業を成立させている中小企業も多い。「場」にアクセス可能か否かはプラットフォーマーが決定できるため、その力関係においてプラットフォーマーが中小企業に対し優越的地位の濫用を行うおそれがある。プラットフォーマーが規定したルールの中で、プラットフォーマーと個人、中小企業の力関係が固定化すれば、「テクノロジー封建主義」[6]とも言え、古くは領主と農奴の関係に相似形となる。

デジタルテクノロジーの特性として、一定の事業規模を確立した後は、サーバーのようなハードウエアへの投資が必要だとしても、製造業などに比べて極めて低い限界費用で顧客を獲得し続けることが可能である。デジタルプラットフォーマーは先行してユーザデータを蓄積、統合すればするほど、サービスや製品の付加価値を高めることが可能になるため、競合他社に対する優位性を確立していく。グーグルのようにＧｍａｉｌのユーザデータ、ブラウ

6—エリック・A・ポズナー、E・グレン・ワイル、遠藤真美訳『ラディカル・マーケット　脱・私有財産の世紀』東洋経済新報社、2020年、p329.

ザであるクロームの閲覧データ、ユーチューブの閲覧データ、広告ネットワークのデータを保有し、分析できることはユーザの利便性を高めてロックインすると同時に、広告出稿のターゲッティング精度の向上に有用である。この事業モデルは一定の事業規模を確立した後はコスト競争力と再投資力を持ち、他社が追いつくことは非常に困難となる。

プラットフォーマーの要件とは何か？

アマゾンの創業は1994年、グーグルの創業は1998年である。この月日の中で、デジタルプラットフォーマーは市場支配の駒を進めてきた。特にプラットフォーマーの要件として、重要だったのはID（個人アカウント）と決済である。一つのIDとパスワードによって様々なウェブサービスやアプリにログインできる仕組みをシングルサインオンと呼ぶ。あなたも、読んでいた記事の途中で、グーグル、フェイスブック、アップルなどのIDでのログインを求められたことがあるだろう。この「どこにでも入れる鍵」となるIDの地位を得ることと、そこに紐付けられた決済システムを提供することはプラットフォーマーにとって大きなパワーとなる。

何にでもログインができて支払いまで可能になれば、その利便性を失ってまで新しくIDとパスワードを設定することは煩わしい。こうしてユーザはロックインされていく。決済機能はユーザ囲い込みのための強力な機能である。魅力あるサービスでユーザを獲得したら、プラットフォーマーは次にユーザの財布を握ることを望む。だからこそ、デジタルプラットフォーマーはＩＤ、決済、サービス・物販、ポイントなどのインセンティブで構成された経済圏の構築に忙しい。２０１９年以降、日本でもヤフーとソフトバンクのＰａｙＰａｙ、ＬＩＮＥのＬＩＮＥＰａｙ、メルカリのメルペイ、そして携帯キャリア決済が広告キャンペーンやポイント還元にしのぎを削り、バリューチェーンの高付加価値部分を握ろうと争いあっている。

そして、競争を経て過度に大きくなったデジタルプラットフォーマーがあたかも公共インフラのように振る舞うとき、政府は「身の丈を越えた」と考え、動き出す。

欧州委員会V.S.グーグル

２０１７年から２０１９年にかけて欧州ではグーグルに対し厳しい圧力がかかった。２０１７年6月27日、欧州委員会はグーグルがＥＵ競争法（独占禁止法）に違反しているとして、24億２０００万ユーロ（約２９００億円）の制裁金を課す決定を行った。当時、これは同種の制裁金としては過去最高額だった。グーグルは検索エンジンとしての市場の支配的地位を濫用し、グーグルの自社サービスである商品比較ショッピングサイトを違法に有利にしたと欧州委員会が認定したのだ。

検索エンジンとして圧倒的な市場シェア（欧州のほとんどの国で90％以上）を持つグーグルからすれば、自社サービスを優先して表示することはビジネスとして当たり前かもしれない。しかしながら、EU競争法の観点から見て、商品比較ショッピングサービス市場での競争を阻害し、検索市場での支配的地位を濫用したと判断された。EU競争法においては、企業が市場で支配的地位を確立すること自体は違法ではないが、同時にその強大な地位を濫用しない責任を負うと考えられている。

グーグルのPCでの検索結果の1ページ目の上位10件がクリックされる回数はクリック回数全体の95％を占めている。よってグーグルの検索結果表示で数ページ後にされるということは、競合からすれば消費者が目にしなくなることを意味する。欧州委員会はグーグルが競合他社を検索結果で降格することによって、特定の競合サイトへのトラフィックが英国で85％、ドイツで最大92％、フランスで最大80％減少したと指摘している。欧州委員会の競争政策責任者のマルグレーテ・ベステアーは、グーグルは生活に変化をもたらす革新的なサービスをつくってきたとしながらも、競争法違反により、他社のイノベーションの機会と欧州の消費者の正しい選択とイノベーションによる利益を否定した、と述べている。[7]

7—European Commission, "Antitrust: Commission fines Google €2.42 billion for abusing dominance as search engine by giving illegal advantage to own comparison shopping service", June 27, 2017.

欧州委員会はテクノロジー企業に対し存在感を示す。写真はベルギーの首都ブリュッセルに掲げられる欧州旗

アンドロイドで環境変化に適応したグーグル

欧州委員会によるグーグルへの制裁は続いた。2018年7月18日、次の舞台はグーグルにとって最高の買収案件ともいえるアンドロイドだった。欧州委員会はグーグルが検索、モバイルOS、OSのアプリストアでの市場における支配的地位を濫用し、アンドロイド端末製造者と通信キャリアに制限を課していたとして、43億4000万ユーロ（約5200億円）の制裁金を課す決定を下した。

欧州委員会がグーグルの経営戦略に言及している。技術トレンドがデスクトップPCからモバイルへと移行するなか、グーグルは収益の大部分を依存する検索エンジンの強みを維持するため、モバイルOSであるアンドロイドを買収し開発を継続した。その結果、2018年には全世界のモバイル端末の80％がアンドロイドを搭載することとなった。

アンドロイドのソースコードはオンラインで公開され、モバイル端末向けOSの基本機能に関する部分は自由に利用可能である。ただし、グーグルのアンドロイド向けアプリは含まれない（グーグルアプリについては自由な改変ができない）。欧州委員会はグーグルがアンドロイドを利用する端末製造業者との契約で一定の制限を課している点、通信キャリアが販売する端末にどのアプリをプリインストールするかに制限を課している点を指摘した。

モバイルOSという根幹を握ったグーグルの戦略は成功し、その通信、OS、アプリという階層の中で通信キャリアにもアプリ開発者にも影響力を行使している。こうした成功の裏で、欧州委員会が目を付けた点は、次の3点だった。

1. アンドロイド製造業者にとって、グーグルのアプリ購入ストアであるグーグルプレイが事実上必須アプリとなり、グーグルサーチ（検索エンジン）とグーグルクローム（ブラウザ）が抱き合わせされている
2. 製造業者と通信キャリアに対しグーグルサーチを排他的にプリインストールする金銭的インセンティブを提供している
3. グーグルの承認を得ていないカスタマイズされたアンドロイド[8]を端末製造者が使用することを禁じている

欧州委員会は、この3点においてグーグルがモバイル領域での競争とイノベーションを妨害しているとみなした。[9]

そして2019年3月20日、欧州委員会はグーグルの本丸である検索連動型広告の仲介市場でEU競争法違反があったとして、14億9000万ユーロ（約1600億円）の制裁金を課すことを決定した。

グーグルは検索連動型広告（検索用アドセンス）をブログなど第三者のウェブサイト所有者に

8 カスタマイズされたアンドロイドの事例としてはアマゾンが販売したアンドロイドベースのFire OSによるFire Phoneが挙げられる

9 —European Commission, "Antitrust: Commission fines Google €4.34 billion for illegal practices regarding Android mobile devices to strengthen dominance of Google's search engine", July 18, 2018.

EUと米国は規制を巡り対立する。ブリュッセルで米国高官の会見を待つ人々

提供している。この検索用アドセンスで検索をするとその結果に対し広告が表示され、グーグルは広告主とウェブサイト所有者の間を仲介している。

ヤフーやマイクロソフトのようなグーグルの競合は、グーグルが所有する検索結果ページの広告スペースを販売できない。よって、第三者のウェブサイトの広告スペースを獲得することはグーグルとの競争上、非常に重要である。しかしながら、グーグルは検索用アドセンスを提供するウェブサイト所有者に対し、検索結果ページに競合他社の検索連動型広告を掲載することを禁じた。欧州委員会はグーグルが検索連動型広告仲介市場における支配的地位を濫用し、競合他社の市場参入を阻害しているとみなしたのだ。

デスクトップＰＣの世界からモバイルインターネットへと事業環境が変化するなか、グーグルが予見し、実行したモバイル端末ＯＳ（アンドロイド）を中心とした検索エンジンの維持とアプリストアの確立は見事な事業戦略だったと言えるだろう。しかしながら、ベルギー・ブリュッセルにある欧州委員会はその適応力が他社の市場参入の機会を奪ったと考えた。

欧州を離れて米国から見る風景はまた異なる。米国トランプ大統領はデジタルテクノロジーの覇権争いにおいて、デンマーク出身である欧州委員会のマルグレーテ・ベステアーに米国潰しの様相を見て取る。トランプ大統領は「ベステアー氏は今まで会った誰よりも米国を憎んでいる、（中略）彼女は我が国のあらゆる企業を訴えている」と述べている。[10]

1兆円の制裁金

２０１７年から２０１９年にかけての欧州委員会によるグーグルへの制裁金は約１兆円にも及ぶ苛烈なものだった。グーグルの親会社であるアルファベットの純利益は、２０１７年１２６億６２００万ドル（約1・4兆円）、２０１８年３０７億３６００万ドル（約3・4兆円）、２０１９年３４３億４３００万ドル（約3・8兆円）[11]だったが、世界中の企業にとって制裁金１兆円は耐えられる金額ではない。

10—Kiran Stacey, Rochelle Toplensky, and Demetri Sevastopulo, "Donald Trump attacks EU action against US tech groups," Financial Times, June 27, 2019.

11—FORM 10-K - Alphabet Inc.

EUのGDPR（一般データ保護規則、2018年5月施行）による米国企業への初制裁の対象もグーグルだった。2019年1月21日に5000万ユーロ（約62億円）の制裁金が課された。

EUのGDPRの根幹には、個人のデータは個人がコントロールすべきだという思想がある。グーグルは「透明性の欠如、不十分な情報、広告のパーソナライゼーションに関する有効な同意の欠如」があったとしてフランスのCNIL（情報処理及び自由に関する国家委員会）[12]によって制裁金が課せられた。[13] CNILは2015年6月12日にもグーグルに対し、「忘れられる権利（削除権）」[14]に基づく削除要請に応じる範囲を、EUドメイン以外のすべてのドメイン（"google.com"も含む）に拡大する、つまり全世界に適用するように命じた機関である。その後、2019年9月24日に欧州司法裁判所は、EUの定めている削除権をグーグルがEU域外で適用する義務はないとして、CNILの主張を退けている。

欧州委員会はM&A（企業結合）にも目を光らせる。多くのユーザを抱えるデジタルプラットフォーマー同士が結合すれば、別々だったユーザ情報が紐付けられて一つとなり、より多くのユーザの個人情報に関する推測が可能となると考えられるからだ。

そのモデルケースが、米国公聴会でも問われたフェイスブックによるワッツアップの買収だった。買収計画時にフェイスブックが欧州委員会に対して不正確又は誤解を招く情報を報告したとして、2017年5月18日、1億1000万ユーロ（約120億円）の制裁金が課

12—CNIL＝Commission nationale de l'informatique et des libertés

13—Fox, Chris, "Google hit with £44m GDPR fine over ads," BBC News, January 21, 2019.

14—「忘れられる権利」は2012年1月25日の一般データ保護規則提案に記載され、一定の要件を満たす場合に検索エンジンのようなデータ取り扱い事業者に対して、個人情報を削除させる権利とされた。2014年3月12日の欧州議会採択版では「削除権（the right to erasure）」に修正されている

された。これは、2014年にフェイスブックがワッツアップの買収計画を届け出た際に、フェイスブックアカウントとワッツアップアカウントの自動的な結合は難しいと報告していたことに端を発する。しかしながら、2016年8月に行われたワッツアップのプライバシーポリシーの変更によれば、ワッツアップユーザの電話番号とフェイスブックユーザのIDを結びつけることは可能であると説明された。これは企業結合審査の承認決定の結論に影響を与えるものではないが、審査過程で不正確又は誤解を招く情報を報告したことは違反行為であったと認定された。

また、ドイツはより踏み込んだ判断を行った。2019年2月7日、ドイツ連邦カルテル庁はフェイスブックに対し、ユーザの自発的な同意が無いかぎり、ワッツアップやインスタグラムによって収集されたユーザデータを、フェイスブックのユーザデータと統合することを禁じた。[15] 国によって反応の濃淡があることから、プラットフォーマー側もローカルな対応が必要とされる事例である。

日本でも2019年11月18日にヤフー親会社のZホールディングスとLINEの経営統合が発表された。世界中で起きるプラットフォーマー同士の統合は、事業ポートフォリオの拡充はもとより、互いの保有するデータの統合、たとえば複数のユーザアカウントの「名寄せ」[16] によってユーザに関してより深く分析しロックインを強化することも見込まれている。フェイスブックとワッツアップのケースに規制当局が着目したように、今後もプラットフォーマー

15—Bundeskartellamt, "Bundeskartellamt prohibits Facebook from combining user data from different sources," February 7, 2019.

16—複数のデータベースに分散・重複したアカウントを1つに統合すること

フォーマー、アプリ事業者の企業結合は競争政策上の注目を免れないだろう。

米国政府V.S.デジタルプラットフォーマー

米国のトランプ大統領が欧州委員会のベステアー委員を批判したように、EUは米国出自のデジタルプラットフォーマーを競争法やGDPRというツールを使って牽制しているように見えるかもしれない。EUは、域内で収益を得ているプラットフォーマーに、ここでのルールを遵守させるパワーがあることを示しているのだ。EUによる制裁はデジタル領域での覇権を巡る「米国対欧州」の図式にも見える。しかし、視点を変えれば米国内においてもデジタルプラットフォーマーへの圧力は高まっている。

米国連邦取引委員会（FTC）はフェイスブックに対し、プライバシー・コントロール機能についてユーザを欺くことにより2012年のFTC命令に違反したとして、プライバシー侵害の制裁金としては過去最大となる50億ドル（約5500億円）を課し、フェイスブックは支払いに合意したと発表した。

2012年のFTC命令とは、フェイスブックが消費者の個人情報のプライバシーまたはセキュリティ、及び名前や生年月日といった個人情報を第三者と共有する範囲について、不適切な表示（misrepresentations）をすることを禁止したものである。

ＦＴＣのジョー・シモンズ委員長は「世界中の何十億ものユーザに個人情報の共有方法をコントロールできると繰り返し約束したにもかかわらず、フェイスブックは消費者の選択を損なった」と述べた。ＦＴＣはフェイスブックに対し新しい要求を行っている。その中にはフェイスブック取締役会に独立したプライバシー委員会を設立すること、ユーザのプライバシーに影響を与える決定についてはフェイスブックのマーク・ザッカーバーグＣＥＯによるコントロールは排除すること、外部監査の強化として独立した第三者の評価者によってプライバシープログラムの有効性を評価することなどが盛り込まれた[17]。

デジタルプラットフォーマーに対する圧力は２０２０年の米大統領選挙でも垣間見られた。米大統領選の民主党候補の指名争いに参加した（後に撤退）、法学者でもある民主党のエリザベス・ウォーレン上院議員による巨大テクノロジー企業への批判である。

ウォーレン上院議員は巨大テクノロジー企業が後進のスタートアップ企業によるイノベーションを阻害しているとして、グーグル、アマゾン、フェイスブックの分割を選挙で公約していた。２０１9年3月にＭｅｄｉｕｍに投稿されたウォーレン上院議員の主張からは、大きくなり過ぎたテクノロジー企業への政府側の懸念が読み取れる。そこには、現在のテクノロジー企業は経済、社会、民主主義に対する強大な影響力を持ち、その政治力を利用してルールを自社に有利にしようとしていること、中小企業を傷つけイノベーションを阻害して

17—Federal Trade Commission, "FTC Imposes $5 Billion Penalty and Sweeping New Privacy Restrictions on Facebook," July 24, 2019. https://www.ftc.gov/news-events/press-releases/2019/07/ftc-imposes-5-billion-penalty-sweeping-new-privacy-restrictions

いることなどが綴られている。ウォーレン上院議員は公正な競争こそが資本主義に必要なものだと主張している。

そして、具体的な規制が必要な点として、企業買収による競争の制限、例としてフェイスブックによるインスタグラムとワッツアップの買収、グーグルによるＷａｚｅ（地図ナビゲーションアプリ）とダブルクリックの買収を挙げている。次にマーケットプレイスを使った競争の排除として、アマゾンのマーケットプレイスでのアマゾンプライベートブランドの販売、グーグルの検索アルゴリズムによる競合の排除を例として挙げている。[18]

グーグルやフェイスブックのような巨大プラットフォーマーは、その経済的、社会的影響力は確かに大きいとはいえ、一民間企業ではある。欧州での苛烈ともいえる制裁や米国での批判は甘んじて受けるべきなのだろうか。

ペイパルの創業者であり、シリコンバレーの著名投資家であるピーター・ティール[19]は、スタートアップ企業は小さな市場を独占することからはじめて、次第に少し大きい関連市場に拡大すべきだと述べている。たとえばアマゾンが当初は本の販売に集中して独占し、その後にＣＤ、ビデオ、ソフトウエアへと独占する市場を拡大したのもこれにあたるという。[20]

グーグルも、検索結果に広告を紐付けるという市場をつくり出し、その市場の寡占を維持した。そのこと自体は企業戦略として自然だろう。しかしながら政府は、デジタルプラットフォーマーが巨大化し、競争が無くなったとき、消費者に害を為すリヴァイアサン（怪物）

18—Warren, Elizabeth, "Here's how we can break up Big Tech," Medium, March 8, 2019. https://medium.com/@teamwarren/heres-how-we-can-break-up-big-tech-9ad9e0da324c

19—ピーター・ティールはペイパル・マフィアの代表的な存在であり、創業したビッグデータ解析会社パランティア・テクノロジーズに2020年6月19日、ＳＯＭＰＯホールディングスが5億ドル（約５４０億円）の出資を発表した。池田光史、谷口健「【CEO独占】ＳＯＭＰＯ、天才ピーター・ティールと組んだ理由」『NewsPicks』２０２０年７月３日

20—Henry, Zoë, "Peter Thiel on How to Build a Monopoly," Inc.com, April 14, 2015.

になることを懸念する。

2020年7月29日、トランプ政権が中国発のTikTokに規制を強めるのと時を同じくして、米国ワシントンDCで歴史的な公聴会が開かれた。1年以上の調査を続けてきた連邦議会下院反トラスト小委員会[21]での証言にGAFA（Google、Apple、Facebook、Amazon）の4人の経営者が召喚されたのだ。

グーグルのサンダー・ピチャイ、アップルのティム・クック、フェイスブックのマーク・ザッカーバーグ、アマゾンのジェフ・ベゾスは公聴会にオンラインで参加し、証言の様子はライブ中継[22]された。現代の王とも言えるCEOたちは、5時間にわたり議員らから尋問と批判を受けることとなった。これら4社のビジネスモデルは異なるが、各社が独占によって公正な競争を阻害したかどうかが共通する大きな論点となった。個別には、グーグルが検索、アンドロイドによる独占を行っていること、アップルがApp Storeにおける優越的地位を濫用していること、フェイスブックがソーシャルメディアの独占、競合の買収を行っていること、アマゾンがプラットフォーマーかつ小売企業であるなかで、自社製品の表示を優先していることがそれぞれ競争を阻害しているとして批判の対象となった。委員長のデイビッド・シシリーン（民主党、ロードアイランド）は、閉会宣言においてGAFA4社は独占企業であると断じ、「一部は解体（break up）すべきだ」と述べた。

21―共和党と民主党の両党により超党派で協調した

22―Huff Post, "Big Tech CEOs Face Antitrust Hearing In Congress" July 29, 2020. https://www.youtube.com/watch?v=XIC1Nkdu1_A

公聴会でCEOたちは、「自分たちも普通の人間なのだから、怖がらないでほしい」とメッセージを発していた。アマゾン創業者のジェフ・ベゾスは、母親が17歳の時に生まれ、自分が4歳の頃にキューバ移民の父親が自分を養子にしたことを語り、グーグルのCEOであるサンダー・ピチャイはコンピュータの無かったインドで育ち、米国に移住してきた過去について話した。そして4社の経営者は皆、自分たちは独占的ではない、それほどの影響力はないと伝えようと努力していた。世界でもっとも強大なパワーを持つデジタルプラットフォーマーが自分たちを弱く見せようとするのは奇妙な光景ではあるが、政府からの「解体」まで含めた大々的な規制をおそれてのことだろう。

強大なパワーと富を持つGAFAのCEOが公聴会で証言に立つ様子は、1994年の米国でタバコ会社のCEOたちが並んで「ニコチンに中毒性はない」と証言した有名な公聴会[23]を彷彿とさせた。GAFAのCEOたちはそうした事件と自分たちが同一視され、「危険な社会の敵」というレッテルを貼られることを極力避けようとしたと見受けられる。

英国の国際政治経済学者であるスーザン・ストレンジは1996年に出版した『国家の退場』のなかで、「国家が非国家的権威を社会秩序の維持、経済の運営におけるパートナー、同盟者と見なすか、それとも正統性とパワーをめぐる敵、ライバルと見なすか、それは完全に国家の認識に依存する。非常に権威主義的な強い国家は、分権化された弱い国家よりもパ

23—C-SPAN, "1994 Tobacco Hearings,Tobacco Execs state under oath that nicotine is not addictive". https://www.c-span.org/video/?c4388905/user-clip-1994-tobacco-hearings

ワーの独占をねたむ傾向がある」と述べている。[24]

デジタルプラットフォーマーの現在の強大さは、グーグルが生まれる2年前の1996年のストレンジにはまだ想像しえないものだったかもしれない。先に述べたようにインターネットの黎明期にインフラを整備したのは政府である。ストレンジの言うように、国家はパワーを持ったデジタルプラットフォーマーに嫉妬しているようにも見える。政府機関でもなく公共サービスの提供を義務付けられていない民間企業が一線を越えるとき、そして寡占や独占により市場が失敗したとき、パワーの濫用を押さえることができるのは国家やEUのような国家連合だけである。

デジタルプラットフォーマーはどこで課税されるのか?

デジタルプラットフォーマーは国境を越えてオンラインで事業ができるその特性により、実際にどの場所で事業を行っているのか、拠点を特定することが難しい。これがデジタルプラットフォーマーへの課税を難しくしている。

国際的な課税ルールは「PE（Permanent Establishment、恒久的施設）なくして課税無し」が原則だ。たとえばオンラインで国外から通信販売をして、商品の保管や発送を行う場所が事業拠点ではなく「倉庫」と認定された場合には、倉庫をPEであるとは言えず、課税は難しく

24—スーザン・ストレンジ、櫻井公人訳『国家の退場　グローバル経済の新しい主役たち』岩波書店、1998年11月20日、p152. 原著：*The retreat of the state : The diffusion of power in the world economy*, Cambridge University Press, 1996.

なる。課税権は国家の主権そのものであり、税収は国家の財政に直接的に関わる。貨幣価値は国家の収入、つまり徴税能力によって保障されているとも言える。

インターネットによって国境を越えた取引を交わし、法的知識を駆使してＩＰ（知的財産）を移転させるデジタルプラットフォーマーに国家は課税しようとし、国家対国家は世界で税収を奪い合っている。

デジタルプラットフォーマーは節税方法として、

1．国境を越えたインターネット上で取引を行い、
2．ＩＰ（知的財産）などの無形資産の価値算定における計算上の自由度を利用し、
3．他国へデジタルな無形資産の移転を行い、
4．高税率な国では利益を圧縮しつつ、
5．低税率のタックスヘイブン（租税回避地）に利益をプールする

という仕組みを構築している。

ゲームのルールはシンプルであり、米国のような高い税率の国ではできる限り費用を計上し、低い税率のタックスヘイブンに収益を移転することを繰り返す。企業は形式的に他国の居住者になることによって、各国の税法の中から自社に有利なものを選ぶ「トリティ・ショッピング（条約漁り）」を行う。これらは税率０％の英領バミューダ諸島やケイマン諸島[25]

25—KPMG Corporate tax rates table
https://home.kpmg/xx/en/home/services/tax/tax-tools-and-resources/tax-rates-online/corporate-tax-rates-table.html

などに実体のないペーパーカンパニーを設立することによって実現されている。

この租税回避のコンセプトを実現するために、グローバルな税務専門家を擁する法律事務所、会計事務所は合法的なパズルを組み立てている。一例として、米国テクノロジー企業が利用してきた「ダブルアイリッシュ・ウィズ・ア・ダッチサンドウィッチ」という一般的な節税スキームがある。

このスキームは、その名のとおり、二つのアイルランド法人でオランダ法人を挟む形（サンドウィッチ）で、支払う税金を減額しようとするものだ。それでは、実際にそのレシピを見てみよう。

1. 米国テクノロジー企業の他に設立する法人はアイルランド法人AとBの二つ、オランダ法人一つである
2. まず米国テクノロジー企業が米国からアイルランド法人AにIP（知的財産）を安価な価値評価で譲渡して、米国企業の譲渡益を圧縮する
3. 次にアイルランド法人Bの経営管理はタックスヘイブン（法人税率0％）のバミューダで行うことにして、アイルランド登記のバミューダ法人とする。アイルランドでは経営実態の有無によって内国法人か否かが決定されるためにアイルランド登記のバミューダ法人Aとなる
4. アイルランドに設立した2社は、ライセンス管理だけを行うバミューダ法人A、事業

も雇用もあるアイルランド法人Bとする

5. 米国財務省規則の通称「チェック・ザ・ボックス規則」を利用し、アイルランド法人Bは A の支店として一体とみなし、米国企業の支配する外国法人の所得に課税される内国歳入法951~964条（通称サブパートF条項）の適用除外として課税を免れる

6. IPを保有するバミューダ法人Aはオランダ法人を経由してアイルランド法人BにIPのライセンスを供与する

7. ライセンスの対価としてアイルランド法人Bは、アイルランドでの法人税を低減するために可能な限り多くのライセンス使用料をオランダ法人経由でバミューダ法人Aに支払って収益を移転する

8. アイルランド法人Bからバミューダ法人Aのライセンス使用料の支払いの間にオランダ法人を挟むことによって、オランダの租税条約を利用してアイルランドの源泉税は免除となる

9. バミューダ法人Aに多額の支払いをしたアイルランド法人Bはアイルランドの法人税を減額することができる

サンドウィッチが完成し、米国、アイルランド、オランダの課税を回避した、収益をプールする「キャッシュボックス」と呼ばれるアイルランド登記のバミューダ法人Aがつくり出

された。

節税サンドウィッチの味はいかがだっただろうか。２０１５年には法律事務所からドイツの新聞社に「パナマ文書」が流出し、世界の政権関係者、富裕層、そして犯罪者らの税金逃れ、所得隠しに関する報道が注目を集めた。[26] その際にタックスヘイブンの存在が一般にも知られることとなった。こうした複雑なスキームを構築してでも、企業は節税を行ってきた。その背景には１ドルでも多くの利益を要求する株主とそれに対応して株主価値の増大を第一義に掲げる企業の姿がある。

米国の法人実効税率は２０１８年以降、27・98％だった。[27] アイルランドでは法人税率は12・５％だが、欧州委員会の調査によればアップルが２００３年に欧州で上げた利益に対する実効税率は１％、２０１４年には０・００５％だったという。[28] グーグル（アルファベット）は２０１６年にバミューダ法人に１５９億ユーロ（約１・９兆円）を移転し、その年に少なくとも30億ユーロ（約３６００億円）の節税を行っていた[29]が２０１９年12月31日にグーグルもこのスキームの使用終了を発表した。[30] アイルランドはＥＵと米国の圧力によって、２０１４年にダブルアイリッシュのスキームを２０２０年末までに段階的に廃止することを発表した。[31]

欧州委員会は２０１６年、アイルランドがアップルに提供した税制優遇措置はＥＵの国家

26—Teague, Elizabeth, "Panama Papers" Encyclopedia Britannica https://www.britannica.com/topic/Panama-Papers

27—財務省「法人実効税率の国際比較　アメリカ　カリフォルニア州」２０２０年１月現在 https://www.mof.go.jp/tax_policy/summary/corporation/084.pdf

28—BBC, "Europe's 'unfair' Apple tax ruling sparks US anger," August 30, 2016.

29—Kahn, Jeremy, "Google's 'Dutch Sandwich' shielded €16bn from tax," The Independent, January 2, 2018.

補助に関するルールに違反しているとして、同国を欧州司法裁判所に提訴した。これはＥＵ対アイルランドという国家の争いである。この影響を受け、アップルは２０１８年９月に１４３億ユーロ（約１兆９０００億円）をアイルランド政府に支払った。一方、アップルとアイルランド政府はこの処分を不服として提訴している。[32]

欧州委員会のマルグレーテ・ベステアーは「加盟国は任意の企業を税で優遇することはできない。これはＥＵの補助金法で禁じられている」と述べている。欧州委員会によるアップルへの課税に対し米国は猛反発し、米企業と米国の税収を狙い撃ちした強奪であると厳しく批判した。[33]

当事者のアップルは「アップルの税金の支払いに関する真実」[34]という２０１７年の自社のプレスリリースのなかで、「アップルの納税に関して議論になっているのは支払う税金の額ではなく、どこで支払う義務があるかであり、世界最大の納税者であるＡｐｐｌｅは過去３年間にわたり法人所得税として３５０億ドル（約３・９兆円）以上を納税した」とし、「アップルは、スティーブ・ジョブズが米国外の拠点を探した１９８０年以来アイルランドで操業しています」と述べている。

30—Sterling, Toby, "Google to end 'Double Irish, Dutch sandwich' tax scheme,"Reuters. December 31, 2019.

31—McDonald, Henry, "Ireland to close 'double Irish' tax loophole," The Guardian, October 13, 2014.

32—「米アップル、追徴1兆9千億円 アイルランドに支払い」『日本経済新聞』2018年9月19日

33—BBC, "Europe's 'unfair' Apple tax ruling sparks US anger," August 30, 2016.

34—Apple, "The facts about Apple's tax payments," November 6, 2017.

デジタル税を巡る国際協調

デジタルプラットフォーマーに代表されるテクノロジー企業に対し政府が課税を強化しようとすれば、企業はより低税率の国へと逃避する。デジタルプラットフォーマー対国家という図式だけでなく、ＥＵ対アイルランド、ＥＵ対米国のように、国家対国家でも税収を巡る争いは絶えない。

低税率によって企業を誘致することは国家戦略だ。アイルランドはその低税率によってテクノロジー企業を中心とした多国籍企業を誘致することに成功した。「ダブルアイリッシュ・ウィズ・ア・ダッチサンドウィッチ」は米国テクノロジー企業には多額の節税を可能にし、米国からすれば課税の機会を失うこととなった。ただし、低税率の競争が熾烈になれば、誰も勝者がいなくなる可能性は当然ある。

企業からの税収を各国が剥き出しのパワーで奪い合うときこそ、現実に即した制度を設計するための国際協調が必要となる。デジタルテクノロジー領域における租税回避を防ぐためのコンセンサス形成については、欧州委員会とＯＥＣＤが主導したものがある。

欧州委員会は２０１８年３月21日にデジタル分野における課税案を発表し、ＥＵ域内で実体的な拠点を持たない企業の捕捉が必要だと述べた。欧州委員会の提案には、実体的な拠点が存在しなくとも、「有意なデジタルの存在」に課税できるようにする、そして暫定的な解決策として売上高の3%の課税をする「デジタルサービス税」などがあった。[35] しかしながら、予想通りアイルランドなどが導入に反発し、EU各国の足並みが揃わず、目標だった2019年3月末までの合意は断念した。[36] このデジタルサービス税でインセンティブの異なる各国のコンセンサスを形成することは難しく、2019年7月にフランスが独自の「デジタルサービスへの課税創設」法案を可決し、[37] 2020年3月には英国もデジタル分野における課税に関する方針を英国歳入関税庁の予算案の中で発表している。[38]

一方のOECDは多国籍企業の租税回避スキームに対処するため2012年から「BEPSプロジェクト」を立ち上げている。BEPSとは「税源浸食と利益移転（BEPS＝Base Erosion and Profit Shifting)」のことを指す。プロジェクトでは、

1．電子経済の課税上の課題への対処
6．租税条約の濫用防止
7．恒久的施設（PE）認定の人為的回避の防止

など15の行動計画が策定されている。[39][40]

OECDは経済のデジタル化が進むなかでの課税問題を中心に据え、課税の根拠となる三つの案を示した。

35―JETRO「ビジネス短信 欧州委、デジタル経済への課税を提案」2018年4月5日

36―「EU、デジタル課税を断念 財務相理事会」『日本経済新聞』2019年3月12日

37―JETRO「ビジネス短信 フランスがGAFA課税を単独導入へ、米国との緊張増す」2019年7月16日

38―JETRO「ビジネス短信 英国、2020年4月1日よりデジタル税を導入へ」2020年3月23日

39―国税庁「税源浸食と利益移転（BEPS: Base Erosion and Profit Shifting）への取り組みについて―BEPSプロジェクト―」 https://www.nta.go.jp/taxes/shiraberu/kokusai/beps/index.htm

1. 英国による案に基づき、恒久的施設の所在といった概念を拡大してユーザが所在する場所を重視する。デジタルテクノロジー企業の「ユーザの参加量（user participation）」を根拠とするものである。この参加量とは、ユーザによってつくり出されたコンテンツやデータ、クリック数などが想定される

2. 商標、顧客データなど「マーケティング上の無形資産（marketing intangibles）」があることを根拠とするものであり、デジタルテクノロジー企業に限定されず通常の消費者向け事業者も対象となることが想定される

3. 「重要な経済的価値（significant economic presence）」を根拠とする。恒久的施設がなくとも、顧客基盤とデータ入力、域内でつくられたデジタルコンテンツ、現地通貨や現地での支払方法による請求と回収、現地語でのウェブサイトの整備などを重要な経済的価値とみなし、売上に課税することが想定される[41]

これまでのデジタルテクノロジー企業への課税問題は、付加価値が創造されている、つまり収益がある場所と税金を納める場所が異なる点に課題があった。OECDの提示した内容もその乖離への対応に知恵を絞っている。課税を巡る企業対国家、タックスヘイブンを含む国家対国家の争いは、国家間のコンセンサスに収れんしようとしているが、欧州委員会で各国の調整が難しく合意を断念したように、多国間条約は各国議会での承認[42]を必要とし先行きは不透明である。

40—OECD/G20," Base Erosion and Profit Shifting Project, Explanatory Statement, 2015 Final Reports" http://www.oecd.org/ctp/beps-explanatory-statement-2015.pdf

41—OECD, "Base Erosion and Profit Shifting Project, Public Consultation Document, ADDRESSING THE TAX CHALLENGES OF THE DIGITALISATION OF THE ECONOMY, 13 February – 6 March 2019" https://www.oecd.org/tax/beps/public-consultation-document-addressing-the-tax-challenges-of-the-digitalisation-of-the-economy.pdf

42—日本であれば条約締結には国会での承認を要する（日本国憲法第七十三条第三号）

デジタルプラットフォーマーは公的な存在か？

強行性のある競争政策や税制をもってしても、国家はデジタルテクノロジー企業に対し無力になっていくのだろうか。

EU成立の立役者で欧州復興開発銀行総裁であった、フランスの経済学者ジャック・アタリは、著書『新世界秩序』の中で、企業の本社は緩い法規制と低税率を求めて移動し、国家権力は、ますます無力なものになっていく、と述べている。アタリはその行く末を、「ほとんど純粋で完璧な市場経済がただ一つだけ存在し、国家は存在しないという様相になる」と結論づける。[43]

世界は緩やかにアタリの指摘する方向に向かっているように見えるが、アップルやグーグルが政府の課税や制裁金の支払いに応じ、株主である機関投資家の発言に耳を傾けるうちは、法的紛争はあったとしても、コーポレートガバナンス、コンプライアンス、風評管理による抑制がまだ働いていると言えるだろう。

国家間の関係をガバナンスする規範やルールは国際レジームと定義される。各国政府、デジタルプラットフォーマーのような個々のアクターを、国際レジームに規定される存在ととらえるか、または、自由なアクターの行為を重視して国際レジームを「従」ととらえるか二

43―ジャック・アタリ、山本規雄訳『新世界秩序　21世紀の〝帝国の攻防〟と〝世界統治〟』作品社、2018年、pp266, 267.

つの対照的な見方がある。デジタルプラットフォーマーは国家ほどの自由と能力(主権)を保有してはいないが、競争政策や課税問題などで自己の利益の最大化のために行動し、ルールに挑戦している。[44] 国際レジームの主従においては、無力とまでは言えないがパワーの減退する国家と、パワーを得たプラットフォーマーが攻防している。

プラットフォーマーはパワーを持ちつつあるが、政府の代替はしていない。市民生活を営む上で、政府は福祉や教育といった公共サービスを提供しており、その財源として税収がある。プラットフォーマーは日々の生活に密着しており、LINEで新型コロナウイルスの確認情報が来て、フェイスブックに公的機関のページが存在するように、タッチポイントの豊富さ、生活インフラとしての重要性から公的な存在に感じられるかもしれないが、その本質は営利企業である。

政府は営利企業から税収を得て、それを公共サービスに転換する存在であり、プラットフォーマーがその役割を担うわけではない。プラットフォーマーの法人広告収入によってあなたが無料でアプリを使えても、それは公共サービスではない。

利益と企業価値の増大を目的とするプラットフォーマーがパワーを持ち、公共性を帯びるのであれば、国家はプラットフォーマーにルールを求めるべきである。営利企業の意思決定者たる取締役たちが信任義務を負っているのは国民ではなく、株主であり、株主価値の最大

44—山本吉宣『国際レジームとガバナンス』有斐閣、2008年、pp67,68.

化のために行動している。営利企業が低税率の国を目指すのも、株主にとっては利益となるだろう。ここに一つの鍵があり、株主、つまりはパワーを持つ機関投資家がプラットフォーマーに対し公共性をより重視する企業経営を求めることは可能である。近年、機関投資家が意識するＥＳＧ投資の中にはＳ（Ｓｏｃｉａｌ）が入っており、株主側がそうした意義を認めることもあるだろう。巨大テクノロジー企業にモノを言えるのは株主である。

デジタルプラットフォーマーが国家を越えたパワーを持つときは、公共性の一部を自らが担うべきであると考えるかもしれない。プラットフォーマーは今、その公共性を問われている。ただ、この攻防はエンドゲームを迎えていない。我々は、支配者の権力を他の権力と均衡させることによって支配者を制度上抑制できる方向に努力すべきだろう。[45] 勢力均衡は、常に、崩れてもまた復元するサイクルを繰り返していく。その均衡の構築のためにも、テクノロジーの変化を前提として、国際協調とルールの構築を継続すべきである。

45―カール・R・ポパー、内田詔夫訳、小河原誠訳『開かれた社会とその敵　第一部プラトンの呪文』未來社、1980年、p128.

第5章

デジタル通貨と国家の攻防

「高く飛んではいけない、必ず中空を飛ぶのだ」と父は言った。しかし調子に乗ったイカロスは高く青空を昇っていった。太陽に近づくと蝋は溶けはじめ、翼は散り散りになった。翼を無くしたイカロスは青い海へと墜ちていった。

ギリシャ神話より

通貨はイカロスの翼か

２０１９年6月18日、フェイスブックは暗号通貨[1]「リブラ」構想を発表した。[2] 24億人のユーザを有するフェイスブックが独自の通貨を発行するという発表は、世界中の注目を集めることとなった。なかでも各国政府、規制当局の視線はリブラの動向へと一斉に注がれた。米国、欧州、そして中国からもだ。

フェイスブックを生んだ米国は発表から１ヶ月後の7月16日、リブラ事業の責任者で、元ペイパル社長であるデイビッド・マーカスを上院公聴会に召喚した。公聴会ではリブラに関して個人のプライバシー問題やマネーロンダリングに利用される可能性など、多くの重大な懸念が示された。[3]

公聴会での冒頭陳述を行ったシェロッド・ブラウン上院議員は「フェイスブックは危険である」と述べ、「マーク・ザッカーバーグは、フェイスブックが企業というよりは政府のようになるだろうと言っていた。しかし誰もマーク・ザッカーバーグを選挙で選んではいない」とし、フェイスブックという一企業が、(自分の)銀行と自己の利益のために連邦準備金制度をつくることは「息をのむような傲慢さである」と糾弾した。[4]

続いて米国以外の各国政府も強い批判の声を上げた。２０１９年9月12日、フランスのブ

1—一般的に暗号通貨は仮想通貨と呼称されることがあるが、本書では“cryptocurrency”の日本語訳である「暗号通貨」を用いる

2—CNN, “3 key things to know about Facebook's Libra cryptocurrency project” June 18, 2019.

3—CNBC Television, “Facebook's David Marcus testifies before Senate on Libra cryptocurrency” July 16, 2019. 米国上院公聴会中継動画 https://www.youtube.com/watch?v=xUQpmEjgFAU

4—Sherrod Brown V.S. Senator for Ohio, “Brown

ルーノ・ルメール経済・財務大臣はＯＥＣＤ会合の場で、企業によるデジタル通貨は政府の主権を弱体化させるとし、「リブラに関する懸念はすべて深刻なものである。私は明言したい。この状況においてヨーロッパの地でリブラの開発を許可することはできない」と声を上げた。また「(リブラは)世界中に20億人以上の利用者がいる単独のプレイヤーが保有する世界的な通貨になるだろう。国家の通貨主権が脅かされている」と述べた。[5]

営利企業であるフェイスブックが国家の独占する通貨を自ら発行しようとすることは、傲慢なのだろうか。自らのパワーを過信し、太陽に近づき過ぎた者はイカロスのように翼を失ってしまうのだろうか。各国政府がフェイスブックを強く批判するなか、リブラに視線を注ぐもう一つのパワーが動いていた。

２０１９年7月9日、中国人民銀行の周小川前総裁は、「中国の外国為替管理の改革と発展」という会合に出席していた。周小川はリブラ構想について、「潜在的なリスクを事前に調査できれば、中国にとって大きな利益になる」と指摘し、「将来的には、より国際的でグローバル化した通貨、強い通貨が主要通貨を代替するかもしれない」と語った。[6] リブラの潜在的リスクについて知ること、そしてドル、ユーロ、円といった国際秩序を司る主要通貨を代替する通貨の可能性について中国高官が言及したことは大きな出来事だった。そして１ヶ月後の２０１９年8月12日、中国人民銀行決済局の穆長春次官は、中国のデジタル人民

Opening Statement at Facebook Hearing" July 16, 2019. https://www.brown.senate.gov/newsroom/press/release/brown-opening-statement-at-facebook-hearing

5—Bernal, Natasha, "France to block the development of Facebook's digital currency Libra" The Telegraph, September 12, 2019.

6—北京商報、金色財経「周小川谈Libra：有必要未雨绸缪」２０１９年7月10日

元は「今にも出てきそうだ（呼之欲出）」と述べた。[7][8]

世界中で24億人のユーザを持つフェイスブックのリブラ構想は、国家を目覚めさせ、デジタルテクノロジーによる国際金融の新たな世界を予見させるには十分だった。英国の国際政治経済学者スーザン・ストレンジは1998年の著書『マッド・マネー』[9]で「利潤を求めて技術革新は生ずる。しかし利潤は単に経済学だけの問題ではない。技術革新から利潤を得る機会は、何らかの政治的権威によっても与えられ、支えられている」と述べている。フェイスブックという非国家アクターが通貨という主権国家の独占領域に手を伸ばすことは、主権国家からすれば許し難い脅威なのだろうか。

こうした構想自体は以前にも存在した。フリードリヒ・ハイエクは1976年に『貨幣発行自由化論』で、通貨発行は民間に任せ競争させるべきであり、中央銀行は不要だと述べている。

営利企業であるデジタルプラットフォーマーにとって政治的権威は必須なのだろうか。長きにわたって挑戦されることのなかった国家の通貨主権は、リブラ構想によって急激に動き始めることとなった。

7—ロイター「中国、独自の仮想通貨発行『ほぼ準備できた』＝人民銀幹部」2019年8月13日 https://jp.reuters.com/article/china-cryptocurrency-cenbank-idJPL4N2582K2

8—財経新報「中國稱官方數位貨幣『呼之欲出』」2019年8月13日

9—スーザン・ストレンジ、櫻井公人訳、櫻井純理訳、髙嶋正晴訳『マッド・マネー カジノ資本主義の現段階』岩波書店、2009年、p48. 原著：Strange, Susan, *MAD MONEY*, Manchester University Press, 1998.

貨幣、通貨の起源

ここでは貨幣、通貨とは何かを再考した上で、各アクターの動きを見ていきたい。一般的に貨幣の持つ機能としては次の三つが考えられている。

1. 価値の保存機能を持ち、貨幣自体の名目価値は変動せず、保有することは富を蓄えることとなる
2. 価値の交換機能を持ち、物Aと物Bの交換取引が両者の欲求の違いから成立しないときには、中間に貨幣を媒介とすることで取引を成立させることが可能となる
3. 価値の尺度機能を持ち、世の中の物やサービスにはすべて価格がつけられる。この尺度があることで、人々は物やサービスの価値を比較することが可能となる。たとえば種類の異なる物Aと物Bを同じ尺度（価格）で比較することが可能になる

何か新しい貨幣が既存の貨幣を代替する場合にも、この三つの機能を持つ必要がある。

次に貨幣はどのように生まれたか、貨幣の起源について見てみる。たとえば、日本の硬貨である500円玉の原価は5・2円程度、100米ドル紙幣（約1万1000円）の原価は15円程度と言われている。[10] こうして価値と原価が乖離している貨幣は価値を持つのだろうか。

10—監修者：矢野翔一「お金の原価を徹底解説！日本の紙幣や硬貨の原価は？世界の貨幣の原価は？」三菱UFJ信託銀行、2020年3月6日 https://magazine.tr.mufg.jp/90130

一般的に貨幣の起源としては、貨幣商品説と貨幣法制説の二説が存在する。

貨幣商品説は、物と貨幣の交換において、運搬可能で流通しやすく、耐久性と可変性がある「金（ゴールド）」のようなものが、それ自体が持つ商品価値から、自然発生的に媒介となってきたという説だ。

貨幣法制説は、貨幣は国や共同体の信用に基づいて発行されて流通するというものである。現代の貨幣は信用貨幣であり、国家の信用に基づいて中央銀行が発行している。貨幣が国の通貨たる所以は貨幣が物として価値を持つからではなく、法制度によってつくられた概念的価値であるとする。

たとえば日本の法制度では、「通貨の単位及び貨幣の発行等に関する法律」[11]に「通貨とは、貨幣及び日本銀行法[12]の規定により日本銀行が発行する銀行券をいう」という記載があり、日本銀行法[13]には「日本銀行が発行する銀行券は、法貨として無制限に通用する」とある。このように日本の通貨は法によって定義され、国家によって信用を付与されている。

米ドルはいかに基軸通貨となったか

米ドルはごく最近まで、金兌換制度によって金（ゴールド）と紐付けられていた。これが第二次世界大戦終盤の１９４４年夏に米国主導でつくられたブレトン・ウッズ体制[14]である。

11―昭和六十二年法律第四十二号　通貨の単位及び貨幣の発行等に関する法律　第二条3項

12―平成九年法律第八十九号第四十六条1項

13―日本銀行法第四十六条2項

14―公益財団法人国際通貨研究所「ブレトンウッズ体制と崩壊」https://www.iima.or.jp/abc/ha/1.html

米国を中心とした連合国によるブレトン・ウッズ会議（連合国国際通貨金融会議）では、これまでのブロック経済化、保護貿易、輸出を有利にするための通貨切り下げ競争が第二次世界大戦の遠因となったことを反省し、戦後を見据えた国際金融システムの安定化と貿易の促進について話し合われた。[15]

これにより金との兌換性、つまり米ドルが金と交換可能であることが保証された。各国通貨と米ドルは交換比率が固定される固定相場制となり、米ドルと金の交換比率は金1オンス＝35米ドルとされた。ブレトン・ウッズ体制の確立と同時に、今日に至るＩＭＦ（国際通貨基金）と世界銀行も設立されることとなった。

ブレトン・ウッズ体制による固定相場制に終わりを告げたのが、1971年8月のニクソン・ショック[16]であった。ベトナム戦争の戦費負担で経済的に疲弊した米国のニクソン大統領は、米ドルと金の交換の停止などの新経済政策（ドル防衛声明）を発表、これを受け、日本市場の株価は大暴落することとなった。先進国10ヵ国の財務大臣は同年12月にスミソニアン協定として固定相場制の維持を試みた。しかしながら結果としてドルの信認は維持できず、世界は変動為替相場制へと移行した。1ドル＝360円で固定されていた日本円も1ドル＝308円に切り上げられた後に、変動相場制へと移行した。

金との交換が停止された米ドルであったが、信認と利便性において他国通貨に優越するため世界の基軸通貨の地位を維持し今日に至る。現在は貿易、金融取引、外貨準備のすべてに

15—編集委員：小笠原高雪、栗栖薫子、広瀬佳一、宮坂直史、森川幸一『国際関係・安全保障用語辞典』ミネルヴァ書房、2013年

16—国立公文書館「高度成長の時代へ1951年-1972年22.ニクソン・ショック」http://www.archives.go.jp/exhibition/digital/high-growth/contents/22/index.html

米国ドルは基軸通貨としてのパワーを持つ。写真は米国資本主義の中心地、ニューヨーク

おいて米ドルでの決済額が最大となっている。基軸通貨としてのこの決済額はパワーであり、米国は金融機関を通じた米ドル資産の凍結や資金移動（送金）の禁止などの金融制裁によって、特定国の資金の流れを止めることができる。他の国々からすれば、常に米国にこの強大なパワーを握られていることを意味する。

基軸通貨には次の三要件が必要となる。

1. その通貨の経済規模と金融市場の大きさ
2. 規律ある金融機関、市場参加者、市場と価格形成などの透明性
3. 体制を維持可能な防衛・軍事力

この要件を満たすことができるのが米国ドルだ。[17] 米国ドルは人々がドルに価値があると信じることによって、ユーロダラー[18]として米国外で流通する。また、発展途上国では信認が低下した自国通貨に替えて米国ドルを使用するいわゆるドル化政策が行われることもある。

非中央集権型通貨の可能性

ここまで貨幣、通貨とは何かを再考してきた。現在ビットコインやイーサリアムといった仮想通貨（暗号通貨）が国家以外によって無数に発行され、それらが何らの裏付け資産も持た

17―公益財団法人国際通貨研究所「基軸通貨」 https://www.iima.or.jp/abc/ka/15.html

18―ユーロ取引は通貨発行国以外でその通貨が流通することであり、ユーロダラーは米国外で取引される米国ドルを指す

ずに、日々取引されているのをニクソン大統領が見たらどう思っただろうか。「それが貨幣として流通しているから」という事実が貨幣の価値を支えているという循環論法が成立しているのであれば、暗号通貨は自然発生的な信用貨幣になり得るのかもしれない。[19]

暗号通貨の先駆者であるビットコインは2008年にサトシ・ナカモトによる論文「Bitcoin：A Peer-to-Peer Electronic Cash System」[20]でその概念が紹介され、2009年にリリースされた。論文の冒頭にもあるように、その骨子は、金融機関のような第三者を通さずに電子マネーのオンライン取引を可能にする、完全なピアツーピアのシステムの提案である。

通常のオンライン送金では信頼できる金融機関に依拠しているが、ビットコインではこれが不要となる。つまり、ビットコインのシステムではグローバルな金銭の移動に対し、金融機関を監督する規制当局の手が及ばなくなることを意味する。

その技術的特徴としては、次の5つが挙げられる。

1. 特定のサーバーやクライアントに依存しない。ピアツーピアネットワークで各ノードが通信し、価値移転が行われる
2. 公開鍵暗号方式で暗号化が行われている
3. 分散型台帳であるブロックチェーンが共有され、承認済みの取引がブロックという

19―小林慶一郎「貨幣論の本質とは何か」『週刊金融財政事情』2009年11月2日号
経済学者である小林慶一郎東京財団政策研究所研究主幹は「信用貨幣の価値を支えている基本的なロジックは、それが貨幣として流通しているから、という貨幣の循環論法なのである」と述べている

20―Nakamoto, Satoshi, "Bitcoin: A Peer-to-Peer Electronic Cash System" https://bitcoin.org/bitcoin.pdf

データ単位にまとめられ、チェーン（鎖）のように時系列につなげられて、すべて記録される。この不可逆的な取引によって変更・改ざんを防ぐことができる

4. 取引が承認され記録されるためには、ネットワーク参加者によりマイニング（採掘）が行われる必要があり、コンピュータの計算能力（＝電力）を提供し、マイニングに成功した者は報酬を手に入れることができる。このインセンティブ設計によってシステムが維持されている

5. 通貨に発行上限がある

一方で、ビットコインに類する暗号通貨の定義としては、

1. 政府や中央銀行といった中央管理者が存在しない
2. 法定通貨ではない、政府、企業、個人の負債ではない
3. 法定通貨と交換、換金可能であり、価格が変動する
4. 不特定多数の者に対し送金や決済を行うことができる
5. 電子的にデータのみがネットワーク上でやり取りされる

ことが挙げられる。[21]

暗号通貨は中央集権型管理者がいない、取引記録に不可逆性があり、改ざんが難しいといったデジタルテクノロジーによって実現された特徴を持つ。しかしながらその特徴をもっ

21—参照：資金決済に関する法律（平成二十一年法律第五十九号）第二条5項

て、経済的に価値があると言うことはできない。暗号通貨は決済手段として使うことができるが、国際決済銀行によれば「(暗号通貨の)本源的価値はゼロであり、結果的に、その価値は他の財・サービス、ないしソブリン通貨[22]に後日交換されるという信頼にのみ由来する」[23]と定義されている。この定義によれば暗号通貨は既存の法定通貨のみにその価値を依存していることになる。

それでは、現在なぜ暗号通貨が買われているのか(資金が流入しているのか)、という問いへの回答としては、暗号通貨が米ドルや日本円といった法定通貨と交換可能であり、価格が固定されていないがゆえに投機の対象となっているためである。暗号通貨の価格は需要と供給によって決定される。法定通貨が変動為替相場での価格変動に悩んできたように、価格変動は損失可能性や、売買が困難になる流動性リスクを利用者にもたらす。暗号通貨のなかには、ジェミニドル(GUSD)[24]、テザー(USDT)など価格変動を無くすために法定通貨とペッグ(1対1の固定交換レート)にした「ステーブルコイン」と呼ばれるものもある。

通貨として政府にも企業にも裏付けがされず、本源的価値を持たない暗号通貨を人々は売買し、交換所は活況を呈している。ピアツーピア、ブロックチェーン、暗号技術を基盤とした暗号通貨は少なくとも、新しいデジタル通貨の可能性を示した。既存銀行を介さず、世界中に個人間で送金できる、送金コストが低いといった特徴に加えて、多くの場所でモノやサービスの決済に利用できる利便性、流動性があれば、新しいデジタル通貨がつくれるかも

22—ソブリン通貨とは、中央銀行が発行した通貨のこと

23—Bank for international settlements, "Digital currencies" p1, November 2015, "They have zero intrinsic value and, as a result, they derive value only from the belief that they might be exchanged for other goods or services, or a certain amount of sovereign currency, at a later point in time." https://www.bis.org/cpmi/publ/d137.pdf

24—ジェミニドルをつくったウィンクルボス兄弟は、マーク・ザッカーバーグ氏がフェイスブックを創業した際、「アイデアを盗まれた」と主張して訴訟を起こしている

しれない。そこに24億人のユーザを抱えてやってきたのがフェイスブックのリブラ構想であった。

リブラ・リザーブ

巨大化したデジタルプラットフォーマーのパワーの一つはそのユーザ数と、利用者が増える程、利便性が高まっていくというネットワーク外部性にある。フェイスブックの構想する通貨リブラが一夜にして24億人のユーザを手に入れることは各国政府からすれば脅威に違いない。暗号通貨で実現されているテクノロジーを使えば既存の海外送金である国際銀行間通信協会（ＳＷＩＦＴ）[25]の中継地点となる銀行（コルレス銀行）を使わずに、ウォレットからウォレットに直接送金することができる。これは既存の国際決済システムに対するディスラプション（破壊）である。

２０１９年６月18日、フェイスブックはデジタル通貨であるリブラ構想の内容を記載したホワイトペーパー１・０[26]を発表した。結論から言えば、この発表に対する各国政府と規制当局からの批判によって、続く２０２０年４月のホワイトペーパー２・０の内容は大きく変更されることとなった。

25—ＳＷＩＦＴ=Society for Worldwide Interbank Financial Telecommunication（国際銀行間通信協会）銀行間の国際送金・決済ネットワーク

26—An Introduction to Libra, White Paper, From the Libra Association Members https://libra.org/en-US/wp-content/uploads/sites/23/2019/06/LibraWhitePaper_en_US.pdf

当初のリブラのコンセプトを理解するためにホワイトペーパー1・0に目を通してみる。ペーパーによれば、リブラの使命とは何十億人もの人々に力を与えるシンプルなグローバル通貨と金融インフラとなることである。これは銀行口座を持たない人々にも金融サービスを使えるようにする「金融包摂（financial inclusion）」を意図している。また、「人々は分散化された形のガバナンスをますます信頼するようになっていると考える」という一文に、リブラの思想が表れている。

ペーパーにあるリブラの特徴は次の3点だ。

1. 安全で拡張性の高い信頼できるブロックチェーンを基盤としている（リブラ協会の許可によるクローズド型）
2. リブラは本源的価値を持つ準備金によって裏付けされる
3. リブラは独立非営利団体のリブラ協会（スイス・ジュネーブ）によって管理される

リブラは数多の暗号通貨と異なり「本源的価値を持つ準備金」という裏付け資産を設定することが大きな特徴である。加えてリブラ・ブロックチェーンを実装するソフトウエアはオープンソースであり、リブラ・ブロックチェーン上のカスタムトランザクションロジックとスマートコントラクト[27]を実装するために、新しいプログラミング言語である「Ｍｏｖｅ」を使っている。

27―スマートコントラクトとは、プログラムによる契約の条件設定であり、条件を充足することで契約履行までを自動的に実行する

リブラ協会の「創立メンバー」としては、マスターカード、VISA、ペイパル、eBay、Uber、スポティファイといった企業が記載されている。

リブラの他にフェイスブックはカリブラ（Calibra）という子会社を設立し、カリブラの開発したデジタルウォレットである「カリブラ・ウォレット」にリブラを保管することで、少額の手数料または無料でメッセージ送信のようにリブラを送金できるようになるという。カリブラ・ウォレットは独立したアプリだが、フェイスブックメッセンジャーやワッツアップにプラグインすることができる。フェイスブックのユーザがカリブラ・ウォレットを持ち、リブラでの取引が増えれば、カリブラの収益となる。


通貨として特筆すべきは、リブラが米ドルのような単一の法定通貨に固定されるのではなく、ドル、ユーロ、円及び政府短期証券を含む「通貨バスケット」である「リブラ・リザーブ」と紐付けられる点である。リブラは実物資産を保有するため本源的な価値を持つことから、時間が経てば利子を生む。利子はリブラ保有者には配当されずに、システムの維持コストに充当され、一部は最初にリブラのエコシステムをつくるために投資をした投資家に分配される。

本来、中央銀行は無利子の負債である通貨の発行と引き換えに、保有する有利子の資産（国債等）から得られる利子であるシニョレッジ（通貨発行益）を得ている。この中央銀行が発行する通貨をリブラが代替することによって中央銀行のシニョレッジは減少する。同時にリブラに対応するリブラ・リザーブ（ドルや政府短期証券）の利子はリブラのシニョレッジと考えることもできる。

リブラが巨大な実物資産バスケットを持つということは、リブラの信用のためにドルなどの法定通貨を利用しつつ、決済などでは既存の国際金融システムを迂回することを意味する。報道によればバスケットの内訳は米国ドル50％、ユーロ18％、日本円14％、英国ポンド11％、シンガポールドル7％だという。[28] 人民元が入っていないことには注目すべきだろう。

ＩＭＦ（国際通貨基金）は２０１６年10月1日、中国の人民元を特別引出権（ＳＤＲ）通貨バスケットに採用しているが、リブラは人民元を除いたことになる。そして、裏付け資産として法定通貨を保有するということは、リブラ協会が実物資産バスケットのポートフォリオ・マネージャーとして巨大な機関投資家または外貨準備高を持つ国家のようになるということだ。市場に影響を与える可能性は高い。

フェイスブックは２０１９年11月12日に決済サービス「フェイスブックペイ」[29]を発表した。プラットフォーマーとしてＩＤと自社決済サービスは必須であり、将来的に自社決済にリブラが加われば大きな優位性をつくり出すことができるだろう。

28―THE BLOCK, Zheng, Steven, "Facebook Libra will be made up of U.S. dollar, euro, yen, pound, and Singapore dollar", September 20, 2019. https://www.theblockcrypto.com/linked/40509/facebook-libra-will-be-made-up-of-u-s-dollar-euro-yen-pound-and-singapore-dollar

29―ロイター「決済サービス『フェイスブックペイ』、米国で今週開始へ」２０１９年11月13日 https://jp.reuters.com/article/facebook-pay-idJPKBN1XM2PG

「企業というより、国のようだ」

2019年10月23日、フェイスブックCEOのマーク・ザッカーバーグは、リブラに関する質疑のために米国下院金融サービス委員会の公聴会に出席した。この公聴会では議員たちがリブラという野心について、多くの問いを投げかけることとなった。

公聴会での議員たちの声を聞いてみる。[30] 米国下院金融サービス委員会のマキシン・ウォーターズ議長(民主党・カリフォルニア)は、フェイスブックを毎月27億人、世界人口の3分の1が利用しているとした上で、ザッカーバーグに「あなたは自分が法の上にいると信じているのでは」と述べた。ジム・ハイムズ(民主党・コネチカット)はフェイスブックを「企業というより、国のようだ」と評した。パトリック・マクヘンリー(共和党・ノースカロライナ)はリブラの設立がなぜスイスで米国ではないのか、と問い、ザッカーバーグは「リブラは独立団体であり、私たちはグローバルな決済システムをつくろうとしている。スイスは多くの国際機関がある場所である」と回答した。

フェイスブックの過去についても多くの指摘がなされた。ニィディア・ベラスケス(民主党・ニューヨーク)はフェイスブックがワッツアップを買収した際に、ワッツアップとフェイ

30―CNET, "Zuckerberg defends Facebook cryptocurrency before Congress," October 23, 2019. https://www.youtube.com/watch?v=VWFefnzUXno

スブックとのユーザデータの統合は非常に難しいとEU規制当局に報告したにもかかわらず、18ヶ月後にはデータ統合を行った件を持ち出し、フェイスブックへの信頼に疑義を呈した。公聴会ではフェイスブックとザッカーバーグを批判する声と共に、一方でそのイノベーションを称賛する声も聞かれた。

　ザッカーバーグは、送金はメッセージの送信と同じくらい簡単であるべきだと強調する一方で、リブラは米国規制当局の承認を受けなければ立ち上げることはできないと明言した。そして、「リブラの主な競合は中国企業になる」とし、「中国は、今後数ヶ月のうちに（リブラと）同様のアイデアを立ち上げようと急速に動いている。リブラは、大部分がドルに支えられており、米国の金融でのリーダーシップを世界に広げ、民主主義的な価値観や監督力を高めることになると考えている。しかし、アメリカがイノベーションを起こさなければ、私たちの金融におけるリーダーシップは保証されない」と述べた。

　この発言は、リブラ構想は米国の国益にも資するものであり（本部はスイスだが）、フェイスブックのように迅速かつ実行能力のある企業がデジタル通貨を手掛けなければ、同様に迅速かつ実行能力のある中国という国家に負けてしまうというメッセージを含んでいる。こうした中国脅威論は巨大テクノロジー企業の決まり文句であり、これらの企業が米国企業だという理由だけで、中国を抑え込む助けになると考えるのは安易過ぎるという声もある。[31]一方、ザッカーバーグが公聴会に出席している間にも中国は動いており、ザッカーバーグの予想は

31—Sitaraman, Ganesh, "Too Big to Prevail, The National Security Case for Breaking Up Big Tech", Foreign Affairs, March/April 2020

まもなく現実化することとなった。

ザッカーバーグが公聴会での長い質疑を終えた翌年2020年4月、リブラのホワイトペーパーは変更が加えられ、バージョン2・0となった。リブラ協会の設立メンバー企業からeBay、マスターカード、VISAなどはその前年、すでに離脱していた。

ホワイトペーパーの大きな変更点としては、リブラの裏付けとなる法定通貨のバスケットは残しつつも、ドルやユーロなどの単一の法定通貨を裏付けとするステーブルコインの発行を予定したことである。これによりリブラが基軸通貨であるドルや他の法定通貨に挑戦し競合するものではなく、あくまで法定通貨を補完するものであることを示した。一方で一部の主要通貨のステーブルコインとなることは、依然として自国通貨が脆弱な発展途上国などで、リブラが価値の安定性と流動性によってその国の自国通貨を代替する可能性を残した。

バージョン1・0発表以降の各国政府、規制当局からの批判の影響からか、通貨の安定と価値の維持は、政府によって独占される権限の範囲内で適切に行われるべきであると記載された。また、リブラは規制当局からのフィードバックを受け、コンプライアンスとネットワーク全体のリスク管理のための包括的なフレームワークの開発に加えて、マネーロンダリング防止（AML）、テロ資金供与対策（CFT）、制裁に対するコンプライアンス、不正行為防止のためのスタンダードを継続的に発展させていくとした。

ドル覇権に挑戦するデジタル人民元

2019年6月から2020年4月まで、フェイスブックのリブラがその批判への対応とコンセプトの修正を行うなか、「今にも出てきそうだ」と言われていた中国のデジタル人民元は着々と準備を進めていた。リブラのホワイトペーパー2・0が出た翌月、中国はデジタル人民元を2022年2月の冬季オリンピックまでに発行する方針であるとの報道が出た。中国人民銀行（中央銀行）の易綱総裁によれば、五輪会場で実証実験をしているという。[32]

ザッカーバーグがデジタル人民元を意識していたのと同様に、中国もリブラを意識したことだろう。中国人民銀行調査局の王信局長は北京大学デジタル金融研究センター主催の学会で、「リブラが決済、特に国境を越えた決済に広く使われるようになれば、貨幣のように機能し、金融政策、金融安定性、国際通貨システムに大きな影響を与えるのではないか」と言及し、リブラが最初にホワイトペーパー1・0を出した際に、中国人民銀行は「大きな関心を寄せた」と述べた。[33]

世界第2位の経済大国となった中国が、デジタル通貨というパラダイムシフトを好機と捉え、ドル、ユーロ、円といった既存の通貨秩序に挑戦するのは極めて自然と言える。201

32―「中国『デジタル人民元』、22年北京冬季五輪までに発行か」『日本経済新聞』2020年5月26日

33―Tang, Frank, "Facebook's Libra forcing China to step up plans for its own cryptocurrency, says central bank official," South China Morning Post, July 8, 2019.

9年の人民元の一日当たり平均売買高は世界第8位（４・３％）[34]であり、その経済力と、通貨体制を維持することができる[35]世界第2位の軍事費[36]とは釣り合っていない。「一帯一路」政策とその一部である「デジタルシルクロード」政策を進める中国は通貨圏を周辺諸国に拡大する意思も能力も持ち併せる。実際に中国は人民元の国際化を進めるために、人民元のクロスボーダー決済を可能にするシステムである「ＣＩＰＳ」[37]を２０１５年に立ち上げている。

中国政府は２００８年9月に起きたリーマンショック、米国のサブプライム・ローン問題に端を発する金融危機以降、米国主導の金融システムが弱体化したと考えている。そして２０１７年、習近平国家主席は中国が新国際秩序をつくり、国際安全保障を守っていくべきであると宣言した。[38]中国政府にとって通貨圏を拡大していくことは、当然の流れだろう。

デジタル人民元は中国ではＤＣ／ＥＰ（Digital Currency/Electronic Payment）と呼ばれている。その特徴は発行体が中央銀行（中国人民銀行）であり完全な法定通貨（現金）となる点にある。デジタル人民元は中央人民銀行により、中央集権型で発行や取引データが管理される。この時点でビットコインの主要コンセプトにあった「非中央集権と分散化」は消えている。

ユーザは現金とデジタル人民元を交換し、ＤＣ／ＥＰウォレットによってユーザ間で送金され、分散型台帳ではなく中央集権型台帳に取引が記録される。海外決済取引においてもＤＣ／ＥＰウォレットがあれば、リブラ同様に銀行口座を利用する必要がない。中国ではもは

34—Bank for international settlements, "Triennial Central Bank Survey, Foreign exchange turnover in April 2019, Monetary and Economic Department", September 16, 2019. Foreign exchange market turnover by currency, Net-net basis, daily averages in April, in per cent, p5. https://www.bis.org/statistics/rpfx19_fx.pdf#page=7

35—米国ドルのように、通貨体制の維持には諸外国から侵略されないだけの軍事力の保持も必要と考えられている

36—Stockholm international peace research institute, Global military expenditure sees largest annual increase in a decade—says SIPRI—reaching $1917 billion in 2019, April 27, 2020. https://www.sipri.org/media/press-release/2020/global-

や現金は使われず、ＷｅＣｈａｔＰａｙ（微信支付）やアリペイ（支付宝）のような電子マネーによる決済が一般化しているため、その普及も問題はないと考えられる。

デジタル人民元とリブラを比較すると、リブラが連合的に複数のプレイヤーから成り立つリブラ協会と、複数の通貨バスケットから成り立つ通貨バスケット（リブラ・リザーブ）を裏付け資産としたのに対して、デジタル人民元は単一の中央銀行が発行する法定デジタル通貨である。リブラ・リザーブの中身が西側諸国の通貨ならば、リブラは各国への信任によって裏付けされ、デジタル人民元は中国への信認によって裏付けされる。

デジタル人民元に信認があり、ユーザビリティ（使いやすさ）が高ければ、世界中でＤＣ／ＥＰウォレットによるやり取りが交わされ、流動性を持つ可能性がある。フェイスブックに24億人のユーザがいるように、中国には最初から約14億人の国民がいる。

デジタルプラットフォーマーは、ソーシャルメディアやメッセンジャーと、そのアプリの人気を足がかりに、決済プラットフォームとなる。中国でのアリペイとＷｅＣｈａｔＰａｙの存在は極めて大きく、実際に２０２０年の市中ではデジタル人民元の影響はまだない。見方を変えれば、デジタル人民元は、大きくなり過ぎた民間のアリペイとＷｅＣｈａｔＰａｙに対する政府によるけん制と考えることもできる。

キャッシュレス決済が日常となっている中国国民からすれば、アリペイでもデジタル人民

military-expenditure-sees-largest-annual-increase-decade-says-sipri-reaching-1917-billion

37—CIPS=RMB Cross-border Interbank Payment system 人民元建ての貿易・投資に関する決済システムである

38—Huang, Zheping,"Chinese president Xi Jinping has vowed to lead the "new world order", Quartz, February 22, 2017. https://qz.com/916382/chinese-president-xi-jinping-has-vowed-to-lead-the-new-world-order/

元でも実際の使用感は変わらないかもしれない。一方で中国政府からすれば、デジタル人民元の利用は既存決済システムへの影響力をより高めることになるだろう。

中国国外では、たとえば世界中で人気の中国発の動画アプリＴｉｋＴｏｋがデジタル人民元普及のきっかけになってもおかしくはない。ＴｉｋＴｏｋの中での物販や、ダンスをする人にデジタル人民元で投げ銭をする仕組みができれば、多くの人が使用する可能性がある（現在は中国版ＴｉｋＴｏｋの抖音〈Ｄｏｕｙｉｎ〉で投げ銭に専用コインが使用されている）。

ＴｉｋＴｏｋを運営するバイトダンスは、米国を代表するプライベートエクイティファンドであるＫＫＲやソフトバンクから出資を受けており、２０１７年の時価総額は７５０億ドル（8・2兆円）[39]を超える未公開スタートアップ企業だ。ＴｉｋＴｏｋは米国でも人気だったが、米軍では位置情報や施設の写り込みなどを懸念し使用が禁止されていた。２０２０年7月6日、マイク・ポンペオ米国務長官はＴｉｋＴｏｋを含めた複数の中国のソーシャルメディアアプリの米国内での禁止を検討していると示唆した。[40]米国の対応を受けて自民党のルール形成戦略議員連盟も、個人情報が中国に渡るおそれがあるとして、ＴｉｋＴｏｋの利用制限の法整備を進めている。これに対しＴｉｋＴｏｋ日本法人は「中国政府にユーザーデータを提供したことはなく、また、要請されたとしても提供することはありません」と述べている。[41]２０２０年8月6日、トランプ大統領はＴｉｋＴｏｋとＷｅＣｈａｔの米国国内での取引を禁止する大統領令に署名し、マイクロソフトがバイトダンスからＴｉｋＴｏｋ

39—Bloomberg News, "Bytedance Is Said to Secure Funding at Record $75 Billion Value", October 26, 2018.

40—FORGEY, QUINT, "It's something we're looking at': Pompeo floats ban on TikTok"POLITICO, July 7,2020. https://www.politico.com/news/2020/07/07/mike-pompeo-tiktok-ban-350384

の米国事業の買収を検討しているとの報道[42]があった。これは安全保障に端を発した規制が企業買収につながる可能性を示したものと言える。これまで中国の国家資本主義と規制を批判してきた米国が、中国以上の規制をしているようにも見える。

米国主導の国際金融システムと米国の通貨覇権に対する影響は、規制可能なフェイスブックのリブラよりも、デジタル人民元の方が大きい。米国は強い懸念を持っていることだろう。デジタル人民元への競合として、ザッカーバーグが言うように米国はリブラを促進すべきだったのだろうか。米国と西側諸国が既存の国際決済システムというレガシーに固執するなか、中国は既存のシステムを飛び越えてスタートアップのような挑戦を仕掛けた。西側諸国からすれば、中国における中央銀行の非独立性や資本取引規制など、既存の通貨ガバナンスの不在に違和感がある。デジタル通貨の覇権争いは国家対デジタルプラットフォーマー、国家対国家の思惑が入り混じる。

これまでのところ、グーグル、Uber、フェイスブックといったデジタルテクノロジー企業は、規制を障害と考えずに、独裁的な経営者が素早く動き「まずはやってみて」、市場をつくった後に規制対応のコストを払ってきた。ザッカーバーグが言うように「素早く動き、破壊する」ことで勝利を収めてきたのだ。しかしながら、太陽に近づき過ぎた企業には、国家が嫉妬し、剥き出しの権力（競争法、課税など）を行使することがある。

41―NHK『TikTok』も中国アプリ利用制限の法整備自民党議連が要求へ」2020年7月28日
https://www3.nhk.or.jp/news/html/20200728/k10012537011000.html

42―NHK「アメリカ『TikTok』運営会社などとの取引を禁じる大統領令」2020年8月7日
https://www3.nhk.or.jp/news/html/20200807/k10012556001000.html

では、素早く動き破壊する独裁的経営者を持つデジタルプラットフォーマーが国家そのものだったら世界はどうなるのか。中国と対峙する各国は、その問いを突き付けられている。

最終章

日本はどの未来を選ぶのか

〈特典〉
専門家・識者が
各章を詳しく解説！
NewsPicks
アプリで無料で見る

79ヵ国・地域中、日本が最下位

2020年のOECD調査「デジタルデバイスを指導に取り入れるために必要な技術的・教育学的スキルを持っている教師」の有無について

相対的に向上する日本の地位

「世界はあっという間に変わってしまった」

2020年春、新型コロナウイルスの感染拡大によって、世界中の人々が他人との接触や物理的な移動を制限されることとなった。外出できない人々がオンラインの世界で生きることは日常となった。

おそらく2020年に生まれた人にとってはオンラインとオフラインの区別さえも意味が無く、オンラインでのコミュニケーションが存在しなかった時代など想像もつかないことだろう。2020年に生まれた子供たちが大人になる頃にはデジタルテクノロジーを巡る覇権争いには決着がついているのだろうか。その未来にある国際秩序はどんなものだろうか。そしてこれからの日本はどうすべきだろうか?

結論から言えば、テクノロジーと安全保障分野で米中が対立するなか、各国が求めるテクノロジーのオプションとして、日本の地位が相対的に向上すると私は考える。また、テクノロジーと個人の自由、権利が対立し民主主義が後退する時代に、日本がテクノロジーと民主主義のバランスにおいて「うまくやる」モデルケースとなり、多極化し分断した世界で、平和的協調に向けてのリーダーシップを取る機会と能力があることをお伝えしたい。

本書ではデジタルテクノロジーを巡る各アクターの動きをいくつかのアングルから見てきた。競争政策にしても通貨にしても、国か、企業か、個人か、どこから誰が見るかで風景は異なってくる。デジタルテクノロジーのこれまでの物語を踏まえて、最終章では日本が今、進むべき道を私見をもとに考えてみたい。

衰退する米国と秩序なき世界

デジタルテクノロジーの中心にあるインターネットの発展は、コスモポリタニズム[1]（世界市民主義）と共に歩むかに見えた。国境を越えて人々が連帯し、国民国家を越えた民主的コミュニティが生まれる未来は実現可能かのように思われた。米国が生んだソーシャルメディアは「アラブの春」を各国にもたらすかに見えたこともあった。しかしながら、今、目の前にあるのはむしろ強化されたナショナリズムであり、分断されたコミュニティである。世界各国が同時に直面した新型コロナウイルスという稀有な危機においても、デジタルテクノロジーが国際協調や国境を越えた人々の連帯に寄与したとは言えないだろう。

日本を取り巻く国際関係に目を向ければ、自由と民主主義を標榜し、かつては国際秩序のリーダーを自任した米国は見る影もなく、コロナ禍において自国内の危機管理もままならな

1―コスモポリタニズムとは、国籍、市民権など、その所属が何であっても、すべての人が平等に尊重され、配慮される権利があるという考え方

い。今の米国には、他国を助け国際公共財を提供するパワーはすでに無いように見える。これはある意味で米国が望んだことでもある。２０１７年12月の米国国家安全保障会議におけるトランプ大統領の声明[2]には米国の利益を優先する文言だけが並び、そこに国際秩序と公共財を守る意思はすでに存在しなかった。

元オーストラリア首相で中国語も話すケビン・ラッドはコロナ禍における米国の姿について、フォーリン・アフェアーズ誌への寄稿文で、「アメリカ・ファースト」は「自国の世話さえ十分にできないのだから、真にグローバルな危機でアメリカの助けは当てにしないでほしい」というメッセージであると語っている。[3]当のオーストラリアは、ファーウェイ排除を進める一方で、羊毛の全生産量の80％が中国に輸出されている現状もあり、[4]米中関係を見据えた政治的バランスが難しい局面を迎えている。

一方で中国は、これからの国際秩序を中国が導くべきだと考えている。習近平国家主席が「中華民族の復興という『中国の夢』の実現に取り組み、（中略）『中国の夢』とは『アメリカン・ドリーム』を含む世界各国の国民の夢と相通じる」[5]と述べているが、米国や欧州各国がその夢に賛同しているとは言えない。それでも中国政府はコロナ禍を奇貨として危機における世界のリーダーとして自らを位置付け、「中国ならではの強さ、効率、スピードは広く称賛されてきた[6]」としている。コロナ禍でも見せた中国のデジタルテクノロジーの進化は止まることがないだろう。

2―National Security Council, "President Donald J. Trump Announces a National Security Strategy to Advance America's Interests", December 18, 2017. https://www.whitehouse.gov/briefings-statements/president-donald-j-trump-announces-national-security-strategy-advance-americas-interests/

3―ケビン・ラッド、アジア・ソサエティ政策研究所・会長 元オーストラリア首相「迫り来るアナーキー米中対立と国際社会」、『フォーリン・アフェアーズ・リポート』2020年6月号、p9.

4―Kelly, Cait, "From salmon to education: These sectors stand to lose the most in a China trade war" June 21, 2020. https://thenewdaily.com.au/news/national/2020/06/21/china-australia-trade-war-salmon-education/

経済的利益のために中国との良好な関係を優先してきた欧州各国であっても、国際秩序において米国が担ってきた役割を中国が代替することに容易にイエスとは言えないだろう。中国の国際社会における振る舞いが別次元に入ったことを欧米諸国に認識させたのは、2020年7月1日に施行された「香港国家安全維持法」である。6章66条からなる同法の施行により、香港の一国二制度は実質的に終わりを告げ、自由と資本主義によってアジアの金融センターとなってきた香港は歴史的な転換を迎えた。同法の目的は国家安全に危害をなす者を取り締まることであり、[7]最高刑は終身刑となっている。警察による通信の傍受や秘密裏の監視も可能となった。[8]同法には香港非居住者でも同法に違反したとみなされる条文[9]があり、諸外国もリスクに身構える。2020年7月6日、同法の施行を受け、グーグル、フェイスブック、ツイッターは香港政府へのユーザデータの提供を一時的に停止することを発表した。[10]同法第43条4項[11]によれば、サービスプロバイダーは政府の求めに応じてデータを提供する義務がある。グーグルらの動きは、米国政府ではなくテクノロジー企業が香港の法制度に公に対抗意見を表明した珍しいものであった。

一方でパンデミックにより発展途上国や中小国の経済危機が深まれば、より一層経済的に中国に依存する国々も出てくるだろう。新型コロナウイルスは世界のパワーシフトを加速した。また、米国の空母内で集団感染が起こり活動が制限されるなど、安全保障上のパワーの

5―北京週報「習近平主席が『中国の夢』を語る」2013年6月7日、習近平国家主席とオバマ米大統領の共同記者会見

6―カート・M・キャンベル、元米国務次官補（東アジア・太平洋担当）、ラッシュ・ドーシ、ブルッキングズ研究所 中国戦略イニシアティブ・ディレクター「コロナウイルスと米中の覇権――パンデミックと中国の野心」『フォーリン・アフェアーズ・リポート』2020年5月号、p49.

7―中華人民共和国香港特別行政区国家安全維持法第1章 総則第1条 には「国家の安全を守り、香港特別行政区に関連する国家分裂、国家政権転覆、テロ活動の組織・実施及び外国または域外勢力と結託して国家の安全を害する等の犯罪を防止し、阻止し、処罰し、香港特別行政区の繁栄と安定を維持し、香港特別行政区住民の合法的権

真空[12]をつくり出した。真空ができれば、当然にそこを埋めようとするパワーが現れる。

日本と米国は同盟関係にあり、１９６０年に日米安全保障条約が発効されて以来、２０２０年で60年となる。この日米関係が一朝一夕に変わることはないだろう。米国政治研究者の久保文明東京大学教授は２０２０年６月25日の日本経済新聞のインタビューに対し、「安保政策では政治体制や価値観を共有する同盟国の米国を優先的に考えるべきだ。経済面で中国と対立する必要はないものの、安保に関わる経済関係は一定程度のデカップリング（切り離し）の方向になるのはやむをえない」と述べている。[13]

日本にとって中国は地理的にまさに隣国であり、地政学的なこの条件は変更できるものではない（本書に多く登場したロシアも同様に日本の隣国[14]である）。また、日本の産業界は米国と中国の両国に生産拠点及び販売市場を大きく依存しており、いかに米中両国の経済・テクノロジー摩擦が大きくなろうとも、日本が一方から完全に脱却することは現実的に難しい。また日本企業のマネジメント層がそのようなドラスティックな経営判断をすることは、社内コンセンサス醸成に要する時間の長さと難易度を考えるとほぼ不可能である。

益を保障するため、（中略）この法律を制定する。」とある（日本語訳は２０２０年７月２日新華社通信配信による）

8―NHK『香港国家安全維持法』昨夜公布・即時施行　最高刑は無期懲役」２０２０年７月１日

通信の傍受については同法第43条６項「行政長官の承認を経て、国家の安全を害する犯罪を実施したことを疑う合理的理由のある人員に対し、通信傍受と秘密監察を行う。」（日本語訳は２０２０年７月２日新華社通信配信による）

https://www3.nhk.or.jp/news/html/20200701/k10012490501000.html

9―同法第38条「香港特別行政区の永住民の身分を備えない人が香港特別行政区外で香港特別行政区に対し、本法に規定する犯罪を実施した場合は、本法を適用する。」（日本語訳は２０２０年７

舵取りを迫られる経営者

今まさに経済界が正面から安全保障リスク対応を考慮し、バランスをとるべき時代が来ている。本書で見てきたように、米中対立を背景とした米国の国防権限法やセキュリティクリアランス、その他の規制への対応、政治リスクを考慮したサプライチェーンの代替案の保持が日本企業でも必要となる。

2020年7月、米国政府はファーウェイら5社の中国企業の製品を使用する企業からの商品やサービスを米国政府が購入することを禁ずる決定を下した。米国政府の契約規模は年間5000億ドル（約55兆円）以上と巨大な市場となっている。[15] このような状況で、日本企業は米国政府に納入する製品や米国市場で販売する製品にどこまで中国製の部品を使用するのか。米国市場向けに中国製のカメラ、センサー、ソフトウエアなどを使用して良いのか。テクノロジーへの規制次第ではサプライチェーンの組み換えを余儀なくされるだろう。その一方で、日本企業は中国市場の成長や膨大なデータを活用したデジタルイノベーションを取り込まなければならないのだ。

米国、欧州の5Gネットワーク構築を巡るファーウェイへの対応は、「結局は政治次第。

月2日新華社通信配信による）

10—Mozur, Paul, "TikTok to Withdraw From Hong Kong as Tech Giants Halt Data Requests",The New York Times, July 6,2020.

11—同法第43条4項「情報の発出者または関連のサービスプロバイダーに対し、情報の削除または協力の提供を要求する。」（日本語訳は2020年7月2日新華社配信による）

12—パワーの真空は、ある場所や事象において、統治する存在が消失し、それにとって代わる存在がいない状態である。国際政治においてはパワーの真空が生じれば、すぐにそこを埋めようとする存在が現れることが常である

13—「有識者に聞く（下）　敵基地攻撃、自衛の範囲内　東大教授 久保文明氏」『日本経済新聞』2020年6月25日

見守るしかない」との感覚を日本企業に与えたことだろう。米国が事実上の禁輸措置であるエンティティリストにどの企業を入れるか、日本政府も企業も影響を与えられるところではない。しかしながら企業経営者が「専門外で知らなかった」で済まされるほど経済制裁や規制が与えるインパクトは小さくない。ビジネスにおいて禁輸措置は購買先を無くし、関税は利益を消し去る。

一方で安全保障上の制約が事業機会を創出する場合もある。２０２０年6月25日に発表されたＮＴＴとＮＥＣの5Ｇネットワーク分野における資本業務提携とグローバル展開方針や、それに対する菅官房長官の次世代通信インフラの安全性の確保に期待するという趣旨の発言[16]を、西側諸国のファーウェイ利用の懸念によって、グローバルに事業機会の窓が開かれたものと前向きに捉えることもできる。

２０２０年のパンデミックではトランプ政権下で混乱する米国、勃興する中国、感染を避けるためのデジタルテクノロジーによる人々の監視・行動変容が、時同じくして起こった。これらはパラダイムシフトの要因として後世に伝えられるだろう。各国がコロナ禍で経済的ダメージを受け、中期的に世界が不安定化するなか、世界第3位の経済大国である日本は米中対立の間で生き残るためのポジショニングを迫られている。日本政府も企業も現状を理解しないことは許されず、また理解しながら実行しないことも許されない。

14―近年、観光地として注目を集めるロシアのウラジオストクは東京から2時間半程で到着する。日本のすぐそばに「欧州」に隣接する国がある

15―Shepardson, David, "Exclusive: U.S. finalizing federal contract ban for companies that use Huawei, others", Reuters, July 9, 2020.

16―NHK「NTTとNEC 資本業務提携 5G通信設備の共同開発でシェア拡大へ」2020年6月25日 https://www3.nhk.or.jp/news/html/20200625/k10012483331000.html

多くの者がゲームのルールを理解しつつ、実行できずに衰退していくデジタルテクノロジーの分野において、独裁的な国家指導者とカリスマ経営者は優位である。なぜなら、多くの場合、権力を掌握したリーダーは意思決定のスピードが競合（国・企業）より早く、デジタルテクノロジーの分野では戦略の内容よりもそのスピードが大きな価値を持つためである。これまで日本の組織は、合議によって関係者の納得感を醸成し、誰かが最終責任を負って傷つくことがないように責任を分散させる意思決定をしてきた。しかし、日本もデジタルテクノロジーの世界においては独裁者たちより早く動く必要がある。

アーキテクチャをどう設計するか

これまでの覇権の物語は、テクノロジー、ファイナンス、規制が要点であった。たとえばフェイスブックのリブラ構想は

1. 莫大なユーザ数という既存の優位性を用いて、
2. 新しいプログラミング言語をつくるなど、核となるテクノロジーにリソースを集中、
3. プラットフォーマーとしてもっともインパクトの大きい「通貨」を事業対象に選び、
4. リブラ協会に有力なプレイヤーを集め、
5. カリブラ・ウォレットという収益化機能を自社が持つ

というアーキテクチャ全体の設計を行っている。

加えて規制対応というルールメイキングもできることが望ましかったが、政府が独占する通貨の発行に手を出したことで想定以上の批判を受けることとなった。

日本の政府、企業に必要なのは領域横断的なアーキテクチャ全体の設計能力である。これまで本書で述べてきたように、国家、企業、個人という各アクターを観察し、テクノロジー、経済、社会に統合的にアプローチする必要がある。アーキテクチャの設計に人数や合議は不要であり、もしトップ一人、少数の人間によって構想できるのであれば、それで問題はない。構想を実行に移す部分は組織能力が必要だが、これも組織内部に求めずとも、外部専門家を使うことが可能である。

デジタルテクノロジー分野での事業創造はすでに、アーキテクチャ全体の構想を独裁的に行い（例：自社で通貨を発行できないか？）、高度に専門化され、ほぼインフラ化されたプロフェッショナルを使い（例：規制対応弁護士など）、ファイナンス能力によって必要な事業ポートフォリオまたは人材を追加する（例：アンドロイドOS買収、元ペイパルCEOの採用）という方法論の雛形ができ上がっている。私もGAFAのなかの一社から突然、あるポジションに関心がないかリクルーティングの連絡をもらって驚いたことがある。アーキテクチャの中身も機能も日本企業のような「すり合わせ」ではなくモジュール化[17]されているため、交換・更新が容易と

17―モジュール化は、製品設計・開発において、ゼロから製品全体をつくり出すのではなく予め要素分解、標準化されたモジュールの組み合わせでつくり出すことである。一方日本企業の組織はモジュールの組み合わせではなく、すり合わせられた有機体のような形になっているため切り分けにくく、事業の買収・売却といった事業の組み換えが難しい

なっている。つまりバリューチェーン、事業ポートフォリオを状況に合わせて最適化し組み換えることは、前提となっているのである。

また、人材面に目を向ければ、プラットフォーマーを生み出した米国に世界中から才能が集うのは、大学が果たす役割が大きい。ハーバード大学、マサチューセッツ工科大学（MIT）、スタンフォード大学など一流大学の多くは私立であり、寄付などで集めた数兆円単位の資産を運用し[18]、研究者の採用、奨学金の給付などに活用している。また大学は自由と民主主義の砦という役割もある。テクノロジーの発展における倫理を問う機能としても大学は期待されている。

日本企業がこの米国式アーキテクチャ創造の雛形を否定するためには、別の方法論でGAFAをはじめとした巨大デジタルテクノロジー企業より優位に立つ必要がある。

18—米国の大学の予算については、安宅和人著『シン・ニホン AI×データ時代における日本の再生と人材育成』（NewsPicksパブリッシング、2020年）に詳しい

競合を消すための買収

テクノロジーの育成とポートフォリオ管理の観点においても、長期にわたって技術の根幹を為す基礎研究へ投資することは、日本の経済規模、主要企業の規模を考慮すれば当然と言える。国の経済規模によってリソース配分は変わるため、先進国でなければ基礎研究への政府負担を維持することも難しい。工業社会の価値が大量生産型オペレーションからイノベー

ションに移行する中、イノベーションのためにも基礎研究に手厚く投資すべきだ。

技術ポートフォリオ管理について、一般的に日本企業は自社内部に類似した技術がある場合、買収やライセンシングによって外部から技術を取り込むことを好まない。企業規模が大きいほど、必ず自社内に似た技術は存在するものだ。経営者が自社の技術者に競合他社の技術について「あそこの技術はどうだ、買わないか」と聞いても、ほぼ「あそこの技術はダメですよ」と返されるものである。

しかしながら、現在の技術ポートフォリオ管理において、自社内に似た技術があるので外部の技術を取り込まないというスタンスは成り立たない。技術を持つ他社を買収することによって競合を消す、自社技術のセカンドプランとして他社技術をポートフォリオに加えておくこともシナジーである。もしも名目的にシナジーをキャッシュフローに換算する必要があるなら、事業シナリオにおいて競合する技術を消すことでシェアが変わることを根拠に、予想キャッシュフローを変えればいい。

本書で見てきたデジタルプラットフォーマーはインターネット上のソフトウエア産業であるため、電力、ガス、鉄道といった現実世界で大きな設備投資が必要な業態と比較して投資額が少なく、複製が容易なため限界費用が格段に低い。そのため規模の経済を享受した場合の利益率が高く、そこから生み出されるキャッシュを戦略的に他社の買収や先端テクノロジーへの投資に分配することが可能となる。巨大テクノロジー企業は買収によって競合を市場から消し去っていく。

競合を消してデジタルプラットフォーマーとして市場支配力を獲得した企業は、事業から生み出されるキャッシュを新しいイノベーションや研究者チームの獲得に振り向け、自社の既存事業の強化と新規事業ポートフォリオの拡充という、事業の深化と探索を同時に行うことができる。このように強いデジタルプラットフォーマーがより一層強くなるサイクルが生まれている。

日本企業にもスタートアップ企業であったアンドロイドを50億円程度で買う機会はあった。インテルが2017年に153億ドル（約1兆7000億円）[19]で買収したイスラエルの自動運転に関するスタートアップ企業、モービルアイ[20]を日本企業が数百億円で買う機会は何度もあった。同社は何度も日本企業と接触していたのだ。プラットフォーマーとなったグーグルでさえ、起業して数年はその技術拡充のために日本の電機メーカーと話をしていたという。自前主義の日本企業が、その時点では自社技術が優位だと思っていたが、いざ研究開発の段階を終え事業化を進めていくとそうではないことがわかってきた、というのはよく聞く話である。

デジタルテクノロジーのイノベーションにおいては現在米国、イスラエルが力を持ってい

19―「モービルアイ、米インテル傘下で研究開発を強化」『日本経済新聞』2017年10月24日 https://www.nikkei.com/article/DGXMZO22592400T21C17A0X17000/

20―モービルアイは自動運転や衝突防止に必要な単眼の画像認識カメラの開発企業

小国のエストニアから起業家が輩出されている。写真はエストニアの首都タリン

る。一方、ファーウェイ排除のなか、5Gネットワークにおいてシェアを拡大するエリクソン、ノキアをそれぞれ有するスウェーデン、フィンランド、そしてエストニアといった北欧・バルトの中小国も存在感を発揮している。フィンランドは2019年に当時の世界の国家指導者としてもっとも若い、34歳女性のサンナ・マリンが首相に就任し注目を集めた。

電子政府立国のエストニアの人口は約130万人、日本の100分の1の人口しかいない。そのエストニアには先述のようにNATOがサイバーセキュリティの拠点を置き、スカイプ、トランスファーワイズ（海外送金システム、創業者二人はエストニア出身）、Bolt（Uberの競合、CEOは19歳で起業）といったグローバル展開するスタートアップ企業が生まれている。こうした小国からすれば、日本の研究開発費、日本企業の資金力は莫大であり、それらを活用すれば、米国発のデジタルプラットフォーマーに伍していくことは可能だと見ている。

日本が見るべきはインド、東南アジア、北欧、中東欧

日本にとって外部からのテクノロジーや才能の取り込みという点では、すでに価格が高騰してしまった米国、イスラエル、中国からではなく、グローバルで見ればインド、東南アジアや北欧、中東欧に機会がある。東南アジアに比べて北欧、中東欧は日本から遠く感じられるかもしれないが、テクノロジーのタレントには見るべきものがある。

ポーランドは人口4000万人弱と欧州では大きな自国市場を持ち教育水準も高い。写真は首都ワルシャワ

アマゾンは東欧のポーランドのグダニスクにソフトウエア開発センターを置いている。ポーランドは、1900年代初頭に日本が孤児救出を行った歴史から欧州では親日国として知られる。同国の一人当たりGDPは約1万5000ドル（約150万円）[21]であり、数学能力ランキング（PISA）では40ヵ国中、男子6位、女子5位となっている。中東欧のビジネスエリートは米国を目指すことが多いが、日本企業が存在感を示すことは十分可能と言える。

今後も続く米中対立の中、日本企業はテクノロジー立国を目指す中小国に学び、中小国と関係を構築していくべきだ。5Gを担うスウェーデンやフィンランドには、デジタルテクノロジーで存在感を示さなければ国際社会から忘れられてしまうという危機感がある。

第二次世界大戦時、ドイツとソ連に侵攻されたポーランドに、英仏をはじめとした国際社会は手を差し伸べなかった歴史がある。ソ連によるポーランド侵攻から2ヶ月半後、地続きのフィンランドもソ連に侵攻されたが、辛くも独立を守った（冬戦争）。忘れられた国は自助で生き残るしかなく、有事の際に誰も助けてくれないことは、彼らの記憶に刻まれている。中小国の危機感は、貪欲に外部の才能を取り込むオープンな姿勢にも見て取れる。フィンランドには、同国とは縁のない外国人でも同国内で起業することができる2年間（更新可）のスタートアップ滞在許可制度があり、誰でも審査を受けることができる。[22]また、フィンランドのヘルシンキではヨーロッパ最大級のスタートアップイベントである「SLUSH」が開催されている。非営利のこのイベントは今では毎年、2万人以上が参加するものとなり、ス

21—世界銀行2019

22—Business Finland, Finnish Startup Permit https://www.businessfinland.fi/en/do-business-with-finland/startup-in-finland/startup-permit/#18690c4

フィンランドの首都ヘルシンキで行われる巨大テックイベントSLUSHに世界中から集まった投資家たち

タートアップとイノベーションの集積地としてフィンランドを世界に売り出している。フィンランドの母国語は話者も少なく難解とされるフィンランド語だが、これらのイベントはすべて英語で行われている。

欧州の中小国は米国、中国の次のオプションとして日本企業に関心がありつつも、接点がないと考えている。私は北欧・バルトを対象としたベンチャーキャピタルの取締役を務めており、現地企業に日本のテクノロジーと市場を提供できることは差別化できる提供価値となっている。日本、アジアへのアクセスを欲している北欧・バルトの起業家から、投資家として入れておくべき「アジア担当ベンチャーキャピタル」だと認識してもらっている。このような強みを活かし、プレイヤーが飽和している北米と異なり、メジャーな案件へのアクセスが可能となっている。

デジタル権威主義への抵抗

スピードがもっとも価値を持つデジタルテクノロジーのビジネスにおいては、アーキテクチャ全体を構想し、ボトムアップではなく独裁的に意思決定すべきである。一方で、政治制度として日本が唱える普遍的価値（自由、民主主義、基本的人権、法の支配、市場経済）や平和主義を固持するのであれば、統治システムにおいては、安易に独裁的、権威主義的制度に魅力を感じるべきではない。

危機に際して迅速に対応するため、非常事態時の政治的指導者がある種の「戦時独裁」になったとしても、危機が過ぎ去った後には平時の統治システムに戻す必要がある。それがゆえに法の支配の下、平時においてこそ危機を想定した枠組みをつくっておくことが必要だ。国境をまたぐプラットフォーマーへの課税問題に悩むように、国家は常に「小さなことには大き過ぎ、大きなことには小さ過ぎる」と批判されてきた。しかし危機において、国内、対外関係とまだできることはある。


欧州での新型コロナウイルスの猛威は個人主義的価値観の脆弱性を露呈した。それに対し権威主義的に国民の権利制限が容易な国、または日本のように共有された規律または同調圧力で外出などを自粛できる国が、比較的、感染拡大を抑制することができた。だからと言ってデジタルテクノロジーを利用した行動監視システムの導入がすべてを解決するわけではなく、人権問題に帰結するこの導入と運営には慎重を期すべきである。

2020年6月に運用が開始された日本の接触確認アプリ「COCOA」はブルートゥース・ビーコンで通信し、端末内の匿名IDで管理され、現状では電話番号や位置情報といった個人情報を取得しておらず、個人のプライバシーに配慮したものとなっている。他国では位置情報や個人情報を取得している場合も多く、非常事態の感染症拡大防止という大義名分の下、広く個人情報が取得されている例もある。中国でアリペイ（アリババ）とテンセントによってつくられた新型コロナウイルス感染者追跡アプリは個人情報に加えて医療情報、旅行履歴、感染者との接触情報が記録されており、移動や入店などの際には、緑（移動可能）、黄色（自宅での隔離）、赤（集中管理下の検疫）のいずれかが表示されるアプリを示す必要がある。[23] 他国の事例を見つつ、日本では監視ツールが当初の目的以外に使われることが無いように最初からルールメイキングすること、「感染者であること」や移動履歴が漏洩するなどのリスクを回避した上で有用に使いたい。

デジタルテクノロジーは施政者に従順であり権威主義国家と相性が良いことを忘れてはならない。今のテクノロジーなら位置情報から体温まで政府が管理することも可能である。

大仰に聞こえるかもしれないが、米国が弱体化し、自由世界のリーダーの座を降りることや、デジタル権威主義の勃興によって、相対的に日本の自由、民主、人権などの価値は高まることだろう。気がついたら同じような監視ツールを入れたデジタル権威主義国家が世界中に増えていて、日本が自由主義世界と民主主義の砦になっているかもしれないのだ。

日本に生きる個人としては、ツイッターで政権に対し自由に批判的な意見を言えることも、ジオプロパガンダとディスインフォメーションによって施政者や外国政府に勝手に行動変容されないことも、所与ではないと認識したい。非常に幸いなことに日本ではまだ大規模

23—Tan, Shining, "China's Novel Health Tracker: Green on Public Health, Red on Data Surveillance", Center for Strategic and International Studies, May 4, 2020.

なディスインフォメーションによる混乱は無いが、当たり前だと思っていた自由がデジタルテクノロジーによって奪われる可能性は常にあり、実際に他国ではそのような事態が起きている。[24]自由は無料サービスではない。一人ひとりの意識が必ず自由を守ることになる。

スウェーデンが他国からの侵略に備え、「抵抗を止めるという情報はすべて嘘である」と国民に周知した危機感は過剰だろうか。日本からは想像しにくいかもしれないが、ハイブリッド紛争におけるディスインフォメーションの可能性、欧州で起きたロシアによるクリミア併合などの事実を冷静に見つめれば、中小国が生き残りをかけるための当然の政策かもしれない。スウェーデンは200年にわたり他国と戦争をしていないが、1991年を最後にアップデートしていなかったこの冊子をまた配布した。このプロジェクトの担当者は「社会は脆弱であり、私たちは個人として準備する必要がある」と述べている。[25]新型コロナウイルスによって世界が変わってしまったように、世界も日本も簡単に変わるかもしれないのだ。日本も一人ひとりが平時にこそ危機の想定をすべきである。

アジェンダセッティングとルールメイキングが鍵

これまで見てきたように、国家、デジタルプラットフォーマー、個人など様々なアクター

24―政治的なディスインフォメーションとまではいかずとも、ある日、身に覚えのない誹謗中傷により、不自由な生活を強いられる事件は日本でも日常的に起きている

25―Henley, Jon, "Sweden distributes 'be prepared for war' leaflet to all 4.8m homes", The Guardian May 21, 2018.

がデジタルテクノロジーというパワーを巡り攻防をしている。その攻防はすぐに決着がつくものではなく、対立や協調を繰り返して「新しい均衡」へと向かうだろう。

デジタルテクノロジーがもたらす変化を予見して、アーキテクチャ全体を構想することが必要だと述べたが、多極化する国際社会で日本政府と企業がすべきなのはアジェンダセッティングとルールメイキングである。

テクノロジー領域におけるアジェンダセッティングの中身は幅広いが、例を挙げれば、ビットコインは第三者の認証を必要としないピアツーピア決済を提案し、リブラは中央銀行発行でない通貨を提案した。これは世界に向けての「問い」の設定である。

デジタルテクノロジーの応用分野は広いため、近年、「ＡＩ軍拡競争（AI arms race）」とも言われるなかでＡＩ兵器のＬＡＷＳ（自律型致死兵器システム）の規制[26]、そしてゲノム編集規制なども大きなアジェンダである。すでにＡＩで制御されたＵＡＶ（無人攻撃機）は１００機以上を同時に群衆飛行させることが可能だ。２０１９年9月14日には、20機以上のＵＡＶがサウジアラビアの石油施設を攻撃したとされている。ＵＡＶは民生用ドローン技術を転用し、ホビー用品から誰でも容易につくることができる。

現在ではデジタルテクノロジーが軍事における革命（Revolution in Military Affairs）の大きな要素になると考えられている。軍事技術において、ビッグデータのリアルタイムの状況分析と

26―特定通常兵器使用禁止制限条約（ＣＣＷ）の枠組みの下、自律型致死兵器システム（ＬＡＷＳ）に関する政府専門家会合（ＧＧＥ）が行われており、日本はＬＡＷＳを開発しない立場をとっている

作戦への応用、自律的な兵器など、すでに民間で研究開発が進み、実証実験が進んでいるものは多い。軍事と民間の技術の両用も一つのアジェンダであり、ここでは「自動運転車と自動運転戦車の技術は何が違うのか」[27]という問いが生まれる。日本のように平和国家として両用技術にセンシティブであり、学術会議が「軍事目的のための科学研究を行わない声明」[28]を継承している国もあれば、中国のように国家戦略として「軍民融合」[29]を唱える国もある。

　こうしたアジェンダをできるだけ早く「これが論点である」とグローバルに発信することが意味を持つ。そこに経験と蓄積があれば、発信した論点に対してルールメイキングをしていくことができる。たとえばエストニアであれば、国民のＩＴリテラシーに濃淡があるなか、どうやって電子政府化というアジェンダを立て、国民から納得を得て、適応してもらったか、という経験を他国に語り、モデルケースとしてのルールを示すことが可能となる。

　アジェンダセッティングとルールメイキングは政府だけでなく、民間企業もスタートアップ企業も行うことができる。フィンランドには「個別企業の良い面と悪い面を計測し、そのネット・インパクト（社会への正味の影響）を算出する」というコンセプトを計量モデル化し、企業や投資家に提供しているスタートアップ企業がある。Ｕｐｒｉｇｈｔ[30]というこの企業は対象企業の財務データだけでなく、環境、ヘルスケア、社会、知識といった項目を細分化して、データを収集し「正味の影響」を算出している。これは現代社会が企業に社会的責任

27—Center for Strategic and International Studies, "China's AI Innovation Ecosystem", September 30, 2019.

28—日本学術会議「軍事的安全保障研究に関する声明」平成29年（2017年）3月24日　第243回幹事会 http://www.scj.go.jp/ja/member/iinkai/anzenhosyo/pdf23/170324-seimeikakutei.pdf

29—「軍民融合とは、国防動員体制の整備に加え、緊急事態に限られない平素からの民間資源の軍事利用や、軍事技術の民間転用などを推進するものとされています」（『令和元年版防衛白書』より抜粋）

30—The Upright Project. 詳細はホワイトペーパーを参照のこと https://www.uprightproject.com/

を求めるなか、概念（コンセプト）を創造し、テクノロジーによって実装した例だ。この試みが永続的に成功するかは不明だが、このような、「概念を売る」という行為は日本のプレイヤーが苦手とするところであり、世界に学ぶべき点がある。

日本には相対的にテクノロジー、資金、リテラシーの高い人々が揃っており、ソートリーダー（Thought Leader）を生み出す素地がある。何よりも日本は自国のローカル市場が大きい。たとえばイノベーションのヒントを得ようと日本企業が訪れるイスラエルの人口は８９０万人であり神奈川県より少なく、自国にはテクノロジーの市場はない。

また、巨大な人口を抱える日本はローカル×デジタルでもまだまだ白地は大きい。日本の政府や行政で声高に叫ばれるデジタル化においても、未だにＦＡＸでやり取りしている行政機関、医療機関が存在するが、これらはすべて改善余地であり、市場である。コロナ禍において外食産業や交通機関の従業員が検温を行っていたが、検温結果を手書きで記録、電話連絡という現場もあった。体温計のオンライン化や数値をスマートフォンのカメラで認識してデータを一元管理することは難しいことではなく、これも改善余地だと言えるだろう。

ソートリーダーは異分野の点と点をつなぎ、その予見性、構想、ビジョンで人を触発し導く人間であるが、それは日本人でも、日本で教育を受けた外国出身者でもよい。日本のリソースを使って世界に向けてアジェンダセッティングし、ルールメイキングを主導すべきだ。たとえば日本からグレタ・トゥーンベリ氏（のような存在）が現れて国連でスピーチしていたらどうだっただろうか。思想そのものに賛同するかは一旦脇に置いても、アジェンダセッティングとマーケティング効果は小さくはないだろう。ソートリーダーを輩出するには、身近な例で言えば、第一に「意思」があり、次に能力がある人間に多様性を付加するしかない。多様性を持つためには、公的セクターと民間を行き来する仕組み（リボルビングドア）は必須であり、男性生え抜き社員で構成された日本企業のマネジメント層には意図的に異質な人間を登用する努力をすべきである。

実際の競争においては、アジェンダセッティングとルールメイキングは「技術標準（Technical Standard）」設定において極めて重要となる。携帯電話の通信方式で技術標準の競争があったように、次のデジタルテクノロジーの標準争いが各所で起こってくる。中国はこれまでの技術標準化の歴史を学んでおり、「中国製造2025」の次の一手として「中国標準2035」を打ち出してきている。中国企業は中国国内市場の圧倒的な物量で培った技術を今度は世界の技術標準として規定することを目指している。アンドロイドOSがアプリの仕様を規定するように、中国のドローンメーカーDJIはその高いシェアでドローンの技術標準を規定することができる。「中国標準2035」によって中国は世界での圧倒的なルールセッティング能力を行使することを目指している。すでに中国は標準化において大きな存在感があり、国際電気通信連合（ITU）[31]の事務総局長は中国のジャオ・ホーリーン（趙厚麟）が務める。標準化において日本がメジャープレイヤーになれないということは、他国のつくったルールに従わなくてはならないことを意味する。

携帯電話の通信規格についても、日本勢が世界標準になる機会はあった。メールやインターネット接続に移行した1993年からの第2世代通信方式では、日本ではNTTドコモが開発した独自規格であるPDC（Personal Digital Cellular）を採用していた。欧州での標準はGSM（global system for mobile communications）、米国ではクアルコム社の開発したCDMAOne方式であった（IDOとDDIセルラー〈現KDDI〉も使用）。この後の第3世代ではW－CDMA（ドコモとソフトバンクが使用）とCDMA2000（KDDIが使用）という方式に移行していった。世界標準を目指したW－CDMAはドコモが開発した無線技術が原型となっている。[32]日本発の技術を基盤とした世界標準規格があれば、そこに日本の周辺技術を押し込み、日本に有利なルールメイキングをすることができる。

一般論として、日本人は「粗い大きなコンセプト」をアジェンダとして提案することが苦手であり、好きではない。また、達成できる可能性が低いことを表明することにも抵抗がある。100％できること、平等に行きわたることを好ましいと考える。このように、アジェンダセッティングは苦手な一方、「世界でどう見られているか」については相当敏感な傾向

31——ITUは電気通信（有線通信及び無線通信）の利用に係る国際的秩序の形成を行う。構成国は193ヵ国、本部はスイスのジュネーブ

32——尾上誠蔵、「W-CDMA方式の研究から商用システム開発まで」電気通信学会　通信ソサイエティマガジン　秋号 NO.30 2014

がある。この「世界」という定義にもバイアスがあるが、特に米国、欧州主要国からの見え方を気にしがちである。

自動車業界のCO_2排出規制は、欧州のプレイヤーがほぼ不可能な目標でもアジェンダセッティングを行ってくる。一方、日本勢は無理だと思っているような目標を声高に設定することはなく、また他の国々からどう見られているかも気にしがちである。

遠隔学習はコロナ禍によって突然、必要に迫られた。これも日本以外の国が完璧にできているわけではもちろんない。ありもののPCやタブレット、遅い回線に既存のアプリでまずはやってみた国や都市も多い。突然、学校が生徒全員に同じIT環境を提供して、それに即した授業を教師に求めるのは難しい。ただ、完璧でなくとも、既存のものを使ってやれるところからやるというスタートアップ的思考がこれからの日本には必要だろう。無論、法律・規制には常に「時差」があり、法によって守るべきものも変質していく。それを所与として、テクノロジーに対してルールメイキング、法の創造をしていくのだ。コロナ対策で注目された台湾のIT担当大臣オードリー・タン(唐鳳)は社会ニーズを発見し、今あるテクノロジーをスピーディに組み合わせて実装している。全員平等に完璧にできるまではスタートしない、という考え方より、完全でなくとも走りながら修正していく方がデジタルテクノロジーには向いている。

2020年のOECDの調査によれば、「デジタルデバイスを指導に取り入れるために必要な技術的・教育学的スキルを持っている教師」の有無は調査対象の79ヵ国・地域中、日本が最下位だった。[33] 日本の教育現場が伸びる余地はまだまだあるだろう。粗いアジェンダやコンセプトでも最初に提示して、修正しつつ、経験を蓄積し、ルールをつくる側になることがこれからの日本に求められている。

先述のように日本は世界のなかでみれば大国である。たとえば2019年の日本円の一日当たり平均売買高は世界第3位（16・8%）[34]だ。リブラやデジタル人民元の動きが激しくなるなか、デジタル通貨について日本がアジェンダセッティングとルールメイキングをできる余地はあるだろう。日本政府は日本円のデジタル通貨（CBDC）の検討を進め、経済財政運営と改革の基本方針にその内容が入るとのことである。この極めて大きなアジェンダにおいて主要国の中央銀行との議論を主導することを期待したい。

アジェンダをなるべく早く、関心を持ってもらえるアングルで世界に発信することは極めて重要である。なぜなら国際社会で発信しない者は存在しないと同義であり、国際機関とは各国が国益のために論点を提示し、ルールメイキングの戦いをした上で均衡をつくり出すための場だからである。

アジェンダセッティングの一例を挙げると、私が参加していた日本の人工知能学会倫理委

33—LEARNING REMOTELY WHEN SCHOOLS CLOSE© OECD 2020, p7, "Figure 4. Teachers have the necessary technical and pedagogical skills to integrate digital devices in instruction"

34—第5章注釈34に同じ

員会は、2017年に倫理指針を公開した際に、「人工知能自身が倫理指針を遵守すべき」という内容を入れた。[35] これは、委員会に参加していた人工知能学者たちが、グローバルで多くの機関、コミュニティがガイドラインを出す中、日本の特徴を出していくべきだと考えたためである。そして、「倫理指針の遵守」は文化的にロボットやAIが近しい友人として描写されることの多い日本的な内容であり、また将来的に価値ある内容と判断して指針に入れたのだった。

指針の立案時は、急激に社会的責任を問われることとなったタイミングでもあったため、人工知能学者自身の立ち位置を明確にしなくてはならないという課題もあった。倫理学、政治学などの基礎も共有された上で議論されたこの倫理指針は、すぐに英訳版も公開した。海外の研究者とも議論をし、外部の視点も把握するように努めた。当時は企業などでもAIと倫理についてどう考えて取り扱っていくか試行錯誤段階だったので、アジェンダとしての指針は参考にされることとなった。

ゲームはまだ終わっていない

これまで国際政治とテクノロジーの世界では、これでゲームは終わりだと言われる瞬間が何度もあった。日本が半導体の王者になったときや、ソビエト連邦が崩壊したときも多くの

35―人工知能学会倫理指針
第9条（人工知能への倫理遵守の要請）人工知能が社会の構成員またはそれに準じるものとなるためには、上に定めた人工知能学会員と同等に倫理指針を遵守できなければならない。
9 (Abidance of ethics guidelines by AI) AI must abide by the policies described above in the same manner as the members of the JSAI in order to become a member or a quasi-member of society.
http://ai-elsi.org/wp-content/uploads/2017/02/%E4%BA%BA%E5%B7%A5%E7%9F%A5%E8%83%BD%E5%AD%A6%E4%BC%9A%E5%80%AB%E7%90%86%E6%8C%87%E9%87%9D.pdf

人がゲームの終わりを感じたことだろう。しかしながら時計の針は進み、ＧＡＦＡやＢＡＴ（バイドゥ、アリババ、テンセント）が既存産業、たとえば巨大な自動車産業にさえ影響を与えることになり、中国は国際秩序を導こうとしている。そして国家は巨大テクノロジー企業を封じ込めつつ、自らがデジタルプラットフォーマー化しようとしている。ゲームは終わらずに続いているのだ。

これだけテクノロジーが進み、コンピュータの計算速度が向上したが、世界はより良い場所になっただろうか。依然として国家間の紛争は消えず、マイノリティへの差別や貧富の格差はあり、むしろ社会の分断は進んでいる。その分断にテクノロジーは手を貸してしまっているのではないか。今こそ社会的弱者を取り残さないために、一人ひとりが謙虚に、テクノロジーが成し遂げたかった目的について考えるべきである。

新型コロナウイルスというグローバルアジェンダが提示された今ほど、強権化に走るのではなく、国家、非国家アクターを巻き込んだ国際協調を構築することが必要なときはないだろう。ゲームはまだ終わらず、世界は新たな局面に入る。テクノロジーも政治も人々を不自由にすべきではない。望んだ未来しか手に入らないのであれば、平和を希求する分断のない世界は選べるはずだ。

失われた未来を郷愁と共に思い出さないために、私たちは未来を選ぶべきである。

おわりに

1989年11月、私はベルリンの壁に群衆がよじ登り、何かを叫びながらハンマーで壁を壊している映像をテレビで見ていた。当時はニューヨークに住んでおり、その壁について何が起きているか正確に理解していなかった。後になって米国と海の向こうのソ連の冷戦が終わったと聞いた。今振り返れば、シュタージの監視していたベルリンで人々は自由を叫んでいたのではないかと思う。

本書はテクノロジー、特にARPANET以降のデジタルテクノロジーについて国際政治的視点から概観してみるという、およそ無理のある試みから生まれた。ベルリンの壁の崩壊や湾岸戦争の時代の脇にあったAppleⅡ、インターネットの黎明期、2000年のドットコムバブルに沸く米国株式市場、まだ洗練されていなかった頃の中国スタートアップ企業など、テクノロジーの発展と国際政治の大きな事件が交差する時代にたまたま生きた筆者の断片的な記憶がベースとなっている。

最終章を除いては極力、私自身の思いを排して、交差する事実から何かしら大きな絵を浮かび上がらせようともがいている。ただ、私が書くべきだと思ったことは書けたのではないかと思う。最後まで本書にお付き合いいただいた読者の方に心から感謝の念をお伝えしたい。何かしら皆様の未来のためになれば、筆者にとって望外の喜びである。

本書はリサーチから執筆まですべて筆者一人で行った。すべての内容についての責任は筆者にある。また、本書のすべての内容は筆者の個人的見解であり所属団体等は無関係であることをご了承いただければと思う。また、筆者の普段の業務の方法論にご関心を持っていただけた方には、弊著『世界で活躍する人は、どんな戦略思考をしているのか？』（KADOKAWA）をご参照いただければ幸いである。

そして引用、参考にさせていただいた数々の文献の作者、データの保有者に感謝の念をお伝えしたい。もちろんインターネットやデジタルプラットフォーマーにも感謝している。インターネットが無ければこれほど容易に議会資料にアクセスしたり政治家の発言をユーチューブで確認したりはできなかったことだろう。

特に「技術と覇権」に関するインスピレーションをいただき、本書でも多く引用させていただいた『テクノヘゲモニー』の著者である薬師寺泰蔵名誉教授（慶應義塾大学）に厚く御礼を申し上げたい。

そしてテクノロジーと公共政策について考察し発表する機会を多く提供していただいた大切な友人である佐藤智晶准教授（青山学院大学法学部法学科）に心からの御礼を申し上げたい。

本書は偉大な方々が凡庸な筆者に、IGPIでのグローバル企業のコンサルティング、そして海外事業や国際関係の現場で学ぶ機会を与えてくださったことによって、世に出すことができた。皆様に深く感謝の念をお伝えしたいと思います。

久保文明教授（東京大学法学部・大学院法学政治学研究科）、伊藤実佐子日米文化教育交流会議日本側事務局長、前田匡史・国際協力銀行代表取締役総裁、武貞達彦・海外交通・都市開発事業支援機構代表取締役社長、玉井裕子・長島・大野・常松法律事務所パートナー、家田嗣也・JBIC IG Partners代表取締役CEO、Peeter Sachs BaltCap CEO、Matts Andersson JB Nordic Ventures Advisor、冨山和彦・IGPIグループ会長、村岡隆史・経営共創基盤代表取締役CEO、JBIC、JBIC IG Partners、Nordic Ninja、IGPIの皆様。他にも伊藤俊幸・金沢工業大学教授（海上自衛隊元海将）をはじめとした安全保障関係者の方々にお話を伺う貴重な機会を得た。大変有難うございました。

また、本書の編集者であるNewsPicksパブリッシングの井上慎平編集長の熱い励ましがなかったら、本書は書き終えることはできなかっただろう。有難うございました。

そしていつも温かく見守ってくれる家族、友人に感謝の気持ちを伝えたい。いつもご迷惑をおかけしてごめんなさい、いつも助けてもらって本当に有難うございます。

２０２０年夏　白夜のフィンランド・ヘルシンキにて　塩野　誠

著者プロフィール

塩野　誠（しおの・まこと）

経営共創基盤（IGPI）　共同経営者・マネージングディレクター

JBIC IG Partners 代表取締役 CIO(最高投資責任者)

IGPI テクノロジー取締役

JB Nordic Ventures（Nordic Ninja, フィンランド)取締役

ニューズピックス社外取締役、ビービット社外取締役

内閣府デジタル市場競争会議ワーキンググループ議員

元・人工知能学会倫理委員会委員

シティバンク、ゴールドマン・サックス、ベインアンドカンパニー、ライブドア、起業などを経て現職。現在はIGPIにおいて政府機関、グローバル企業に対するコンサルティングやM＆Aアドバイザリー業務に従事。JBIC IG Partnersにおいてはロシア・北欧・バルト地域にて投資業務を行う。通信・メディア・テクノロジー領域を中心にクライアントに提言を行い、15年以上の企業投資経験を持つ。

慶應義塾大学法学部政治学科卒　久保文明研究会（米国政治）

ワシントン大学セントルイス法科大学院　法学修士

フィンランド（ヘルシンキ）在住

IGPIはコーポレートトランスフォーメーション（CX）を掲げ、グローバル企業から日本のローカル企業までコンサルティング、M＆A・財務アドバイザリーを提供している。また、AI・データサイエンス事業や、研究機関が保有する技術の事業化も行っている。

JBIC IG Partnersは国際協力銀行（JBIC）とIGPIの合弁会社である。

（本書に掲載されている画像はすべて著者撮影）

装幀・本文デザイン――加藤賢策（LABORATORIES）

本文DTP・図版――朝日メディアインターナショナル

校正――鷗来堂

営業――岡元小夜・鈴木ちほ

進行管理――中野薫・山崎隼

編集――井上慎平

デジタルテクノロジーと国際政治の力学

2020年10月7日　第1刷発行

著者――――塩野誠

発行者―――梅田優祐
発行所―――株式会社ニューズピックス
〒106-0032 東京都港区六本木 7-7-7 TRI-SEVEN ROPPONGI 13F
電話 03-4356-8988 ※電話でのご注文はお受けしておりません。
FAX 03-6362-0600 FAXあるいは左記のサイトよりお願いいたします。
https://publishing.newspicks.com/
印刷・製本―シナノ書籍印刷株式会社

ISBN 978-4-910063-12-6
本書に関するお問い合わせは下記までお願いいたします。
np.publishing@newspicks.com

希望を灯そう。

NEWS PICKS
PUBLISHING

「失われた30年」に、
失われたのは希望でした。

今の暮らしは、悪くない。
ただもう、未来に期待はできない。
そんなうっすらとした無力感が、私たちを覆っています。

なぜか。
前の時代に生まれたシステムや価値観を、今も捨てられずに握りしめているからです。

こんな時代に立ち上がる出版社として、私たちがすべきこと。
それは「既存のシステムの中で勝ち抜くノウハウ」を発信することではありません。
錆《さ》びついたシステムは手放して、新たなシステムを試行する。
限られた椅子を奪い合うのではなく、新たな椅子を作り出す。
そんな姿勢で現実に立ち向かう人たちの言葉を私たちは「希望」と呼び、
その発信源となることをここに宣言します。

もっともらしい分析も、他人事のような評論も、もう聞き飽きました。
この困難な時代に、したたかに希望を実現していくことこそ、最高の娯楽《エンタメ》です。
私たちはそう考える著者や読者のハブとなり、時代にうねりを生み出していきます。

希望の灯を掲げましょう。
1冊の本がその種火となったなら、これほど嬉しいことはありません。

令和元年
NewsPicksパブリッシング 編集長
井上 慎平